Cahier d'exercices

NIVEAU 3

LIGNE DIRECTE A2.2

CD-ROM INCLUS

Valérie Lemeunier
Sophie de Abreu
Laurence Alemanni
Ilham Binan
Julien Cardon

didier

UNITÉ 1

VOTRE MISSION

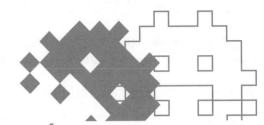

→ **ÉCRIRE UN RÉCIT
À PARTIR D'UNE BD**

Je découvre la mission

Pour découvrir la mission :

→ j'écoute l'enregistrement ;
→ je cherche des indices ;
→ j'écris les indices trouvés dans le cadre ;
→ j'imagine dans quel univers va se passer la mission ;
→ j'observe la photo de la p. 9 de mon livre ;
→ je cherche de nouveaux indices.

mes indices

Je prépare la mission

**Pour écrire un récit à partir d'une BD,
je vais :**

◆ caractériser des personnages
◆ relater des faits passés
◆ décrire une situation passée
◆ énumérer des faits passés
◆ donner une précision de temps

Qu'est-ce que je sais faire ?	Qu'est-ce que je vais apprendre ?
....	....
....	....
....	....
....	....
....	....

Je comprends

Pour préparer le jeu du « Qui suis-je ? » :

→ je lis et j'écoute les documents de mon livre p. 10 ;
→ je note des informations sur chaque personnage ;
→ je compare mes notes avec celles d'un camarade ;
→ on formule 6 affirmations comme dans l'exemple ;
→ on coche la case pour indiquer la personne qui parle.

→ *Je détestais les maths à l'école. Qui suis-je ?*

		Camille	Gad	Marguerite Abouet
Exemple	*Je détestais les maths à l'école.*	x		
1				
2				
3				
4				
5				
6				

Pour jouer :

→ on lit nos affirmations aux camarades d'un autre groupe ;
→ ils se mettent d'accord et ils cochent les réponses ;
→ on inverse les rôles ;
→ on vérifie : l'équipe qui a le plus de bonnes réponses a gagné.

	Camille	Gad	Marguerite Abouet
1			
2			
3			
4			
5			
6			

Je découvre la langue

Transcription : doc. 3 p. 10

Moi, mon papa, par exemple, il m'a éduqué avec des concepts trop flous. Tous les matins avant de sortir à l'école j'entendais juste :
– Eh !
– Quoi ?
– Fais attention !
Qu'est-ce que tu veux que je fasse avec ça moi, toute ma vie ! Je passais ma vie à faire attention ! Je ne savais même pas à quoi je faisais attention. Je te promets, des fois j'étais comme ça à l'école, assis, mes potes ils disaient :

– Mais Gad, viens jouer !
Je disais :
– Non, non, je dois faire attention.
Mon père des fois il nous disait :
– Vous voulez qu'on joue à cache-cache ?
Nous, on disait :
– Oui.
Et il disait :
– Allez vous cacher.
Ben nous, on allait se cacher. Et lui il partait au travail.

1 Pour découvrir la langue, je trouve dans les documents d'autres exemples pour :

	relater des faits passés	décrire une situation passée	donner une précision de temps
Doc. 1	....	→ *J'adorais le français.*	→ *Jusqu'en 4ᵉ.*
	....	....	....
	....	....	....
	....	....	....
	....	....	....
	....	....	....
Doc. 2	→ *Le magazine* Amina *a rencontré l'auteure.*	....	....
	....	....	....
	....	....	....
	....	....	....
	....	....	....
Doc. 3	....	....	
	....	....	
	....	....	
	....	....	
	....	....	
	....	....	

2 **Pour compléter le tableau :**

→ je note mes découvertes (en bleu) ;
→ je note mes connaissances (en rose).

Pour...	Je peux utiliser :	Je connais aussi :
relater des faits passés	....	....
décrire une situation passée	....	....
donner une précision de temps	....	....

Je m'entraîne

Dis-moi si tu as déjà…

1 Pour m'entraîner à prononcer les sons [e] et [ɛ] :

→ j'écoute ;

→ je répète la question. Mon voisin répète la réponse ;

→ on inverse les rôles.

→ *– Tu as déjà joué à la bataille ?*
– Oui, j'y jouais quand j'avais 8 ans.

1. Tu as déjà commencé ton livre ? Oui, je le lisais quand tu es arrivé.
2. Tu as déjà visité l'Algérie ? Oui, j'y allais souvent l'été pour voir ma famille.
3. Tu as déjà joué à cache-cache ? Oui, j'y jouais quand j'étais petit(e).
4. Tu as déjà habité en Afrique ? Oui, j'y habitais pendant mon enfance.
5. Tu as déjà chanté devant un public ? Oui, je chantais tous les ans à la fête de l'école.
6. Tu as déjà imaginé des histoires du futur ? Oui, j'imaginais souvent des histoires quand j'étais petit.

Ping-pong au passé

2 Pour m'entraîner :

→ j'écris 3 verbes en « -er » sur un papier ;

→ je place les papiers au centre ;

→ je pioche un papier ;

→ je conjugue le verbe au passé composé avec « je » ;

→ j'envoie la balle à un camarade ;

→ mon camarade conjugue le même verbe à l'imparfait avec « je ».

→ *sauter → j'ai sauté – je sautais*

Vocart

3 Pour compléter la grille :

→ je trouve les mots qui correspondent aux définitions.

1. un endroit où jouent des acteurs
2. une représentation
3. un professionnel qui fait rire
4. une personne qui pratique un art
5. une femme qui écrit des livres
6. un endroit public pour regarder des films
7. le personnage principal féminin d'une BD ou d'un film
8. elle permet d'écouter de la musique, des émissions…
9. un petit spectacle comique
10. un espace où sont écrites les paroles des personnages de BD

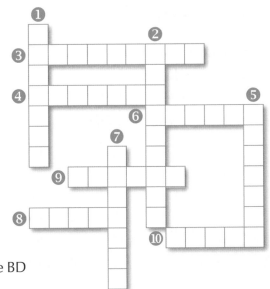

La bataille verbale

4 **Pour jouer à la bataille verbale :**

→ je dessine secrètement un bateau dans 3 cases de la grille ;

→ je conjugue les verbes au passé composé pour trouver
les bateaux de mon camarade ;

→ si mon camarade a un bateau dans la case indiquée, il répond
« coulé » et je rejoue ;

→ s'il n'a pas de bateau, il répond « dans l'eau » et c'est à lui de jouer ;

→ le joueur qui découvre les trois bateaux de son camarade
en premier a gagné.

→ *– Il a eu une bonne idée.*
– Dans l'eau / Coulé !

	Rencontrer l'auteur	Avoir une bonne idée	Éduquer des enfants	Voir le spectacle de Gad Elmaleh	Inspirer une histoire
je					
tu					
il					
nous					
vous					
elles					

Souvenirs, souvenirs...

5 **Pour raconter un souvenir :**

→ je lance les dés ;

→ je conjugue le verbe à l'imparfait.

→ ⚀ + ⚃ *Je racontais des histoires drôles.*

⚀ je   ⚀ aimer les sketchs de Gad Elmaleh

⚁ tu   ⚁ vivre à Abidjan

⚂ il   ⚂ être trop consciencieux

⚃ nous   ⚃ raconter des histoires drôles

⚄ vous   ⚄ faire attention à tout

⚅ elles   ⚅ jouer souvent à cache-cache

Florence Foresti

 6 **Pour en savoir plus sur le parcours de Florence Foresti, une humoriste française :**

→ je conjugue les verbes au passé composé ou à l'imparfait.

Florence Foresti (naître) .... en 1973 à Venissieux.

Elle (prendre) .... des cours dans une école

de cinéma et de vidéo à Lyon, puis elle (être) ....

stagiaire dans une émission de télévision. À l'âge de 25 ans,

elle (commencer) .... au café-théâtre

« le Nombril du Monde » : elle (faire) .... partie

d'un trio féminin appelé « les Taupes Models ». En 2001 son premier

one-woman show (remporter) .... le prix du jury

au festival d'Antibes. Et pourtant petite, Florence (être)

.... une petite fille tranquille. Mais à 8 ans,

elle (mener) .... déjà sa propre bande de copains

comme un vrai chef !

Le passé

 7 **Pour comparer mon enfance et celle de mes camarades de classe :**

→ j'indique avec quelle fréquence je faisais les activités proposées ;
→ j'interroge 3 camarades de classe ;
→ je note leurs réponses ;
→ j'entoure nos points communs.

→ *– Est-ce que tu allais à la mer l'été quand tu étais petit ?*
– Oui, tous les étés j'allais à la mer / Non, je n'allais pas à la mer l'été.

	Moi	....	....	....
Aller à l'école à pied le matin				
Faire ses devoirs l'après-midi				
Dormir jusqu'à 10 heures le dimanche matin				
Jouer d'un instrument de musique				
Regarder la télévision le soir				
Écouter la radio le matin				
Lire avant de dormir				
Faire du sport le week-end				

Mon grand-père

8 **Pour compléter le texte suivant, j'utilise :**

en, pendant, à l'époque, jusqu', quand.

J'aime beaucoup écouter mon arrière-grand-père parler de son enfance.

Il me raconte comment c'était .... il était jeune.

.... il habitait à la campagne et il allait à l'école

à vélo. .... 1935, les écoles n'étaient pas mixtes :

il allait à l'école des garçons. .... presque toute

sa scolarité et .... à son entrée au collège

.... 1940, il a eu la même institutrice :

c'était la classe unique. Il est allé au collège ....

en 1943 : .... c'était la guerre et il était difficile

de continuer ses études.

École

9 **Pour trouver les différences :**
→ j'observe les deux photographies pendant 2 minutes ;
→ je ferme le livre, je fais la liste des différences ;
→ j'indique une différence à un camarade de classe ;
→ il confirme et on inverse les rôles ;
→ on vérifie dans le cahier.

→ *– Avant, on faisait les opérations à la main !*
– Oui et maintenant on fait les opérations à la calculatrice !

2ᴱ DÉFI : JE RÉALISE UNE BOÎTE À SOUVENIRS

Je comprends

Pour raconter et illustrer les souvenirs de la famille de Raph :

→ j'observe et j'écoute les documents de mon livre p. 12 ;

→ j'écris une légende sous chaque illustration.

Je découvre la langue

Transcription : doc. 2 p. 12

LA MÈRE : Raphaëlle, viens, je vais te montrer quelque chose.

RAPHAËLLE : Qu'est-que tu veux me montrer, maman ?

LA MÈRE : C'est une boîte à souvenirs que j'ai rangée il y a trente ans… en 1980 : c'était l'année où je suis entrée au collège.

RAPHAËLLE : Tu l'as ouverte depuis ?

LA MÈRE : Non, je n'y ai pas touché depuis trente ans, mais heureusement, je me souviens où je l'ai mise ! Tiens, la voilà !

RAPHAËLLE : Et qu'est-ce qu'elle contient ?

LA MÈRE : Patience, patience ! J'attends ce moment depuis trente ans. Regarde : des petits mots, des photos et…

RAPHAËLLE : Oh ! C'est quoi ça ?

LA MÈRE : Des mèches de cheveux de mes trois copines de l'époque : Lisa, Sophie et Clarence. Je me souviens, c'était le jour où on a fait notre serment d'amitié. C'était un après-midi pendant les vacances de Noël : on regardait la télé. Tout à coup, Lisa a eu une super idée : faire une boîte à souvenirs. D'abord, on a fait un super goûter, ensuite, on a mis de la musique et on a dansé, puis, on a juré de rester amies pour la vie et enfin, on s'est coupé une mèche de cheveux.

RAPHAËLLE : Oh, c'est génial comme idée ! J'appelle Léa et Chloé…

1 **Pour découvrir la langue, je trouve dans les documents d'autres exemples pour :**

	relater des faits passés	exprimer la durée	énumérer des faits passés	donner une précision de temps
Doc. 1	→ *À mon époque on apprenait à être patient.*			
Doc. 2		→ *Tu l'as ouverte depuis ?*	→ *D'abord on a fait un super goûter.*	→ *C'était l'année où je suis entrée au collège.*

2 Pour compléter le tableau :

→ je note mes découvertes (en bleu) ;

→ je note mes connaissances (en rose).

Pour...	Je peux utiliser :	Je connais aussi :
relater des faits passés		
exprimer la durée		
énumérer des faits passés		
donner une précision de temps		

Je m'entraîne

Tu te souviens ?

1 Pour raconter avec la voix :

→ j'écoute ;

→ je répète l'histoire à mon voisin en reproduisant la musique
du français avec la voix ;

→ je m'aide de la ponctuation, des syllabes en rouge et des flèches ;

→ on inverse les rôles.

Tu te souviens de la rentrée ?

.... ↗

D'abord, on a attendu devant le collège avec nos parents.

.... ↗ .... ↗ .... ↘

Puis la cloche a sonné, on est rentrés dans la cour, on s'est rangés, et on a attendu le prof.

.... ↗ .... ↗ .... ↗ .... ↗ .... ↘

Ensuite, on est allés en cours et on a changé de salle toutes les heures.

.... ↗ .... ↗ .... ↗ .... ↘

On était surpris, c'est différent le collège !

.... ↗ .... ↗ .... ↘

Raconte-moi tes vacances

2 Pour lire une énumération :

→ j'écoute ;

→ je place les virgules ;

→ je lis les phrases à un camarade.

1. Pendant les vacances je me suis d'abord reposée.

2. Ensuite j'ai préparé ma valise. J'ai mis des sous-vêtements
des pantalons des robes des jupes un manteau un maillot de bain
des t-shirts.

3. Une fois arrivés nous avons fait des exercices : du sport des promenades
de la lecture de la baignade des jeux.

4. Nous avons fait du cheval de la randonnée du roller et bien sûr
de la natation.

5. Mais j'ai aussi travaillé : j'ai révisé j'ai recopié mes devoirs j'ai appris
mes leçons j'ai fait les exercices de maths j'ai dessiné et j'ai lu le texte
à préparer.

6. Pour finir j'ai acheté des souvenirs j'ai refait ma valise et je suis rentré.

Un peu d'ordre

 3 Pour expliquer ce qui s'est passé :

→ je construis des phrases comme dans l'exemple.

→ *je – faire la queue au cinéma – je – entendre des cris*
Je faisais la queue au cinéma. Tout à coup, j'ai entendu des cris.

1. Je – dormir – le téléphone – sonner.

....

2. Les enfants – jouer dans la cour – un orage – éclater.

....

3. Mon père – conduire tranquillement – un chien – traverser la route.

....

4. Les garçons – regarder la télévision – la lumière – s'éteindre.

....

5. Elle – se promener dans la rue – elle – glisser sur une peau de banane.

....

6. Je – manger une pomme – je – perdre une dent.

....

Jeu de mimes

 4 Pour faire deviner ce qui s'est passé :

→ j'imagine et j'écris un incident comme dans l'exemple ;
→ je mime l'incident ;
→ mon camarade formule l'incident mimé ;
→ on inverse les rôles et on fait circuler les incidents.

→ *Je faisais mes devoirs. Tout à coup j'ai entendu un cri.*

Comment j'ai commencé à faire des BD

 5 Pour retrouver les étapes :

→ je lis attentivement chaque phrase ;
→ je relie les éléments des deux colonnes.

D'abord, •	• j'ai colorié mes vignettes.
Ensuite, •	• j'ai fait des croquis de mon personnage principal.
Puis •	• j'ai ajouté mes bulles et j'ai écrit mon texte.
Après •	• j'ai préparé soigneusement mon matériel.
Finalement •	• j'ai noté mes idées sur une feuille.

Emploi du temps

6 **Pour parler de mes activités scolaires :**

→ je note dans l'emploi du temps ce que j'ai fait dans chaque matière ;
→ j'interroge mon camarade comme dans l'exemple ;
→ je note sa réponse ;
→ on inverse les rôles.

→ – *Qu'est-ce que tu as fait en anglais ?*
– *En anglais on a regardé un reportage de la BBC.*

Horaires	Matières	Mes activités	Les activités de mon camarade
8 h 30-9 h 15	Mathématiques		
9 h 15-10 h 00	Sciences de la vie et de la terre		
10 h 00-10 h 45	Français		
RÉCRÉATION			
11 h 00-11 h 45	Géographie		
11h 45-12 h 30	Anglais		

La biographie de Gad

7 **Pour compléter la biographie de Gad Elmaleh :**

→ j'interroge un camarade de classe comme dans l'exemple ;
→ je note sa réponse ;
→ on inverse les rôles.

→ – *Que s'est-il passé dans la vie de Gad Elmaleh en 1971 ?*
– *1971 ? C'est l'année où il est né !*

Date	Événement
1971	*Naissance*
1987	
1992	Arrivée à Paris pour suivre une formation artistique.
1995	
2001	Triomphe dans son second one man show « La vie normale ».
2003	
2004	Participation à une action en faveur des victimes d'un tremblement de terre au Maroc.
2006	
2007	Réalisation d'une tournée aux États-Unis.

B

Date	Événement
1971	*Naissance*
1987	Départ du Maroc pour étudier les sciences politiques à Montréal.
1992	
1995	Apparition dans son premier film : *Salut, cousin !*
2001	
2003	Interprétation du rôle de François Pignon dans le film *La doublure*.
2004	
2006	Décoration par le ministre de la culture Renaud Donnedieu de Vabres comme chevalier des Arts et des Lettres.
2007	

Souvenirs

8 Pour donner des informations à un camarade de classe :

→ j'inscris 5 dates importantes pour moi sur des papiers ;
→ mon camarade pioche une date ;
→ il m'interroge comme dans l'exemple ;
→ je réponds et on inverse les rôles.

→ – *Marius, qu'est-ce qui s'est passé d'important pour toi en 2005 ?*
– *2005, c'est l'année où ma petite sœur est née.*

2005

Rencontre amoureuse

9 Pour retrouver les phrases correctes :

→ je lis les phrases ;
→ je barre les propositions incorrectes.

« Alors, raconte : Cécile, tu l'as rencontrée comment ?

Cécile, je l'ai rencontrée depuis – il y a – pendant mes vacances

d'été depuis – il y a – pendant quatre ans. Elle faisait des bandes dessinées

il y a – depuis – pendant quelques années déjà. Et puis, un jour, elle

a participé au festival d'Angoulême, c'était depuis – pendant – il y a deux ans.

Depuis – pendant – il y a ce jour-là, je ne l'ai plus revue et je n'ai pas eu

de ses nouvelles pendant – il y a – depuis un an et demi. Et puis, pendant –

il y a – depuis six mois, je l'ai croisée de nouveau au Salon du livre.

Et pendant – il y a – depuis , on ne s'est plus quittés ! »

 Je peux aussi m'entraîner avec le cédérom.

3ᴱ DÉFI : JE DÉCOUVRE LA BD DANS LE MONDE

La bande dessinée d'ici et d'ailleurs

1 **Pour comparer différents types de BD :**

→ j'observe et je lis les documents de mon livre p. 14-15 ;

→ je cherche les informations pour compléter le tableau.

	BD française	**BD ivoirienne**	**Une BD dans mon pays**
Description du lieu	....	....	....
Description des personnages	....	....	....
Description de la couverture	....	....	....

2 **Pour retrouver le vocabulaire de base de la BD :**

→ je replace les termes suivants à l'aide des flèches :

une bulle – un strip – une vignette – un héros – le nom du dessinateur

COMPRÉHENSION DE L'ORAL — 25 POINTS

Vous allez entendre 4 enregistrements, correspondant à 4 exercices différents.
Pour chaque exercice vous aurez :
– 30 secondes pour lire les questions ;
– une première écoute, puis 30 secondes de pause pour commencer à répondre
aux questions ;
– une deuxième écoute, puis 30 secondes de pause pour compléter vos réponses.
Répondez aux questions en cochant (☑) la ou les bonne(s) réponse(s), ou en écrivant
l'information demandée.

EXERCICE 1 (6 points)

1 De quoi parlent ces deux amis ?
☐ d'un livre récent
☐ d'une série télévisée
☐ d'une bande dessinée adaptée au cinéma

2 Cette histoire se passe :
☐ dans les années 1940
☐ au début du XXᵉ siècle
☐ au lendemain de la Seconde Guerre mondiale

3 Qui est Adèle ?
☐ l'auteure de l'œuvre en question
☐ le personnage principal
☐ une Égyptienne

4 Quel drame a frappé Adèle ?
☐ Elle a eu un accident à l'âge de 5 ans.
☐ Elle a été séparée de sa sœur.
☐ Elle a perdu sa précieuse momie.

5 Quel est le métier d'Adèle ?
☐ historienne
☐ gardienne au jardin des Plantes
☐ journaliste

6 Cette BD appartient à la catégorie :
☐ horreur
☐ aventures fantastiques
☐ histoire ancienne

EXERCICE 2 (9 points)

Qu'a fait Magali ? Écrivez dans l'ordre ses activités.

Le matin	1	
	2	
	3	
L'après-midi	1	
	2	
	3	

EXERCICE 3 (5 points)

1 Ralph est né en :
- ☐ 1990
- ☐ 1980
- ☐ 1982

2 Ralph a passé son enfance :
- ☐ en Bretagne
- ☐ à Paris
- ☐ à Nouméa

3 Autrefois, son père était :
- ☐ restaurateur
- ☐ infirmier
- ☐ militaire

4 Ralph est entré en 6e en :
- ☐ 1996
- ☐ 1993
- ☐ 1997

5 Ils se sont installés :
- ☐ à la montagne
- ☐ à la campagne
- ☐ en Bretagne

EXERCICE 4 (5 points)

1 Qu'est-ce que la mystérieuse boîte ?

....

2 À quoi servaient les vieux pneus ?

....

3 Quelles sont les deux bêtises mentionnées par l'arrière-grand-père ?

....

4 L'arrière-grand-père dit qu'il sait :
- ☐ jouer à un jeu vidéo
- ☐ taper à la machine
- ☐ utiliser un téléphone portable
- ☐ faire un lance-pierres
- ☐ fabriquer une balançoire
- ☐ utiliser un ordinateur
- ☐ envoyer un courriel

UNITÉ 2
VOTRE MISSION

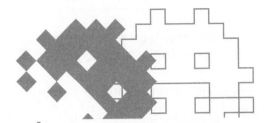

→ PARTICIPER À UN CONCOURS :
CRÉER UN STYLE ET LE DÉFINIR

Je découvre la mission

Pour découvrir la mission :

→ j'écoute l'enregistrement ;
→ je cherche des indices ;
→ j'écris les indices trouvés dans le cadre ;
→ j'imagine dans quel univers va se passer la mission ;
→ j'observe la photo de la p. 19 de mon livre ;
→ je cherche de nouveaux indices.

mes indices

Je prépare la mission

Pour participer au concours du meilleur style, je vais :

+ donner un avis
+ comparer
+ caractériser
+ exprimer une évidence
+ exprimer une certitude
+ classifier

Qu'est-ce que je sais faire ?	Qu'est-ce que je vais apprendre ?
....	....
....	....
....	....
....	....
....	....
....	....

Je comprends

Pour compléter le blog de Pauline :

→ j'écoute et je lis les documents de mon livre p. 20 ;
→ je complète la fiche de présentation de Pauline ;
→ j'observe les illustrations ;
→ j'écris une légende sous chaque illustration pour indiquer ce qu'a fait Pauline.

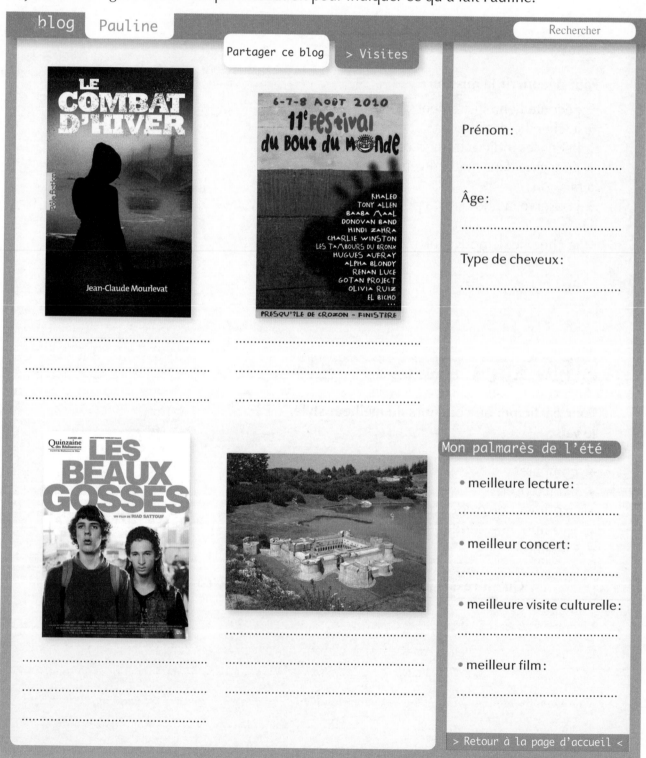

blog Pauline   Rechercher

Partager ce blog   > Visites

Prénom :

....

Âge :

....

Type de cheveux :

....

....

....

....

Mon palmarès de l'été

• meilleure lecture :

....

• meilleur concert :

....

• meilleure visite culturelle :

....

• meilleur film :

....

> Retour à la page d'accueil <

Je découvre la langue

Transcription : doc. 1 p. 20

LA COIFFEUSE : Bonjour Pauline !

PAULINE : Bonjour Madame !

LA COIFFEUSE : On passe au bac ? Ça va ? Ce n'est pas trop chaud ?

PAULINE : Non, c'est même un peu trop tiède, vous pouvez mettre un peu plus chaud.

LA COIFFEUSE : Voilà, tu peux t'installer pour la coupe. Tu veux des magazines pour choisir ta coiffure ?

PAULINE : Oui, je veux bien.

LA COIFFEUSE : Alors, jeune fille, on a choisi ?

PAULINE : Oui, je voudrais cette coupe-là mais un peu plus longue.

LA COIFFEUSE : Je préfère te prévenir : sur toi, le résultat ne sera pas le même. Ce sera moins volumineux : ta chevelure n'est pas aussi épaisse que la sienne. Le type de cheveux est différent : les tiens sont plutôt fins et lisses mais les siens ondulent légèrement.

PAULINE : Vous voulez dire qu'avec des cheveux comme les miens, on ne fait pas ce qu'on veut ?

LA COIFFEUSE : Non, je veux juste dire que l'effet ne sera pas exactement le même mais ce sera joli quand même. On y va ?

PAULINE : Ok, on y va !

1 Pour découvrir la langue, je trouve dans les documents d'autres exemples pour :

	comparer	classifier	exprimer sa préférence	exprimer l'appartenance
Doc. 1	→ Le résultat ne sera pas le même.			→ Les tiens.
Doc. 2		→ Les meilleures vacances de ma vie.	→ J'ai préféré Le Combat d'hiver.	

2 Pour compléter le tableau :

→ je note mes découvertes (en bleu) ;
→ je note mes connaissances (en rose).

Pour...	Je peux utiliser :	Je connais aussi :
comparer	....	....
classifier	....	....
exprimer sa préférence	....	....
exprimer l'appartenance	....	....

Je m'entraîne

Prononcer les sons : [o] ou [ɔ] ?

1 Pour jouer à la bataille phonétique :

→ je dessine secrètement un bateau dans 3 cases de la grille ;

→ je conjugue les verbes au présent de l'indicatif pour trouver les bateaux de mon camarade ;

→ si mon camarade a un bateau dans la case indiquée, il répond « coulé » et je rejoue ;

→ s'il n'a pas de bateau, il répond « dans l'eau » et c'est à lui de jouer ;

→ le joueur qui découvre les trois bateaux de son camarade en premier a gagné.

→ *– Nous améliorons.*
– Dans l'eau !

	adorer	consommer	améliorer	explorer	donner
je					
tu					
elle					
nous					
vous					
ils					

Lire et écrire les sons [o] et [ɔ]

2 Pour écrire les sons [o] et [ɔ] :

→ j'écoute les mots ;

→ je repère les sons [o] et [ɔ] ;

→ j'entoure les lettres qui se prononcent [o] et [ɔ] ;

→ je remplis le tableau avec les mots qui conviennent.

1. un rôle   **4.** adorer   **7.** nouveau   **10.** une sortie

2. un gosse   **5.** bientôt   **8.** du sport

3. votre   **6.** bonnes   **9.** la pause

[o]	[ɔ]
....	....
....	....
....	....
....	....
....	....

Le palmarès des César

3 **Pour compléter le palmarès de la 35ᵉ cérémonie des César :**

→ j'utilise *meilleur – meilleure – meilleurs*.

La 35ᵉ cérémonie des César
27 février 2010

.... acteur : **TAHAR RAHIN** DANS *UN PROPHÈTE*
.... actrice : **ISABELLE ADJANI** DANS *LA JOURNÉE DE LA JUPE*
.... décors : **MICHEL BARTHÉLÉMY** POUR *UN PROPHÈTE*
.... film étranger : *GRAN TORINO* DE **CLINT EASTWOOD**
.... costumes : **CATHERINE LETERRIER** POUR *COCO AVANT CHANEL*
.... musique de film : **ARMAND AMAR** POUR *LE CONCERT*
.... premier film : *LES BEAUX GOSSES* DE **RIAD SATTOUF**
.... film français : *UN PROPHÈTE* DE **JACQUES AUDIARD**

Les joueurs de tennis

4 **Pour compléter les fiches de présentation :**

→ je lis les affirmations de l'encadré A ;
→ je classe les informations de l'encadré B dans le tableau.

A
● Richard Gasquet est le plus jeune.
● Gilles Simon est le moins grand.
● Gilles Simon est le plus léger.
● Gilles Simon a débuté sa carrière en même temps que Richard Gasquet.
● Richard Gasquet a un meilleur classement ATP.
● Gilles Simon a un meilleur palmarès que Richard Gasquet.

B
27 décembre 1984   70 kilos   1,83 m
1,85 m   18ᵉ
2002   6 titres   2002
23ᵉ
8 titres   75 kilos   18 juin 1986

Gilles Simon

Richard Gasquet

	Gilles Simon	Richard Gasquet
Date de naissance	....	....
Taille	....	....
Poids	....	....
Début de sa carrière	....	....
Classement ATP	....	....
Palmarès	....	....

L'athlétisme

5 **Pour compléter les fiches des athlètes :**

→ j'interroge un camarade ;

→ je note sa réponse.

→ – *Qui est la plus rapide au 60 mètres ?*
– *C'est Christine Arron, elle fait 7''06 et Myriam Soumaré fait 7''24.*

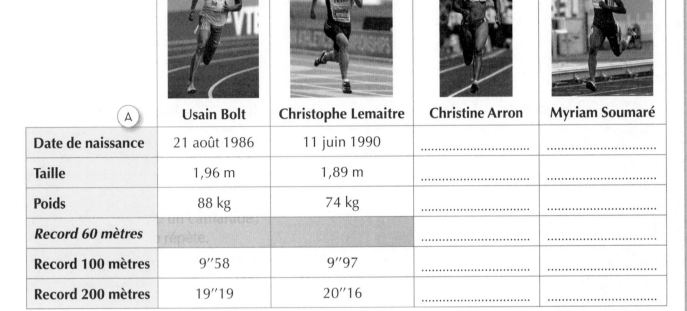

(A)

	Usain Bolt	Christophe Lemaitre	Christine Arron	Myriam Soumaré
Date de naissance	21 août 1986	11 juin 1990	....	....
Taille	1,96 m	1,89 m	....	....
Poids	88 kg	74 kg	....	....
Record 60 mètres			....	....
Record 100 mètres	9''58	9''97	....	....
Record 200 mètres	19''19	20''16	....	....

(B)

	Usain Bolt	Christophe Lemaitre	Christine Arron	Myriam Soumaré
Date de naissance		13 septembre 1973	29 octobre 1986	
Taille		1,77 m	1,67 m	
Poids		64 kg	57 kg	
Record 60 mètres		7''06	7''24	
Record 100 mètres		10''73	11''18	
Record 200 mètres		22''31	22''32	

La bataille langagière

6 **Pour jouer à la bataille langagière :**

→ je dessine secrètement un bateau dans 3 cases de la grille ;
→ j'accorde le possessif et l'adjectif pour trouver les bateaux
de mon camarade ;
→ si mon camarade a un bateau dans la case indiquée, il répond
« coulé » et je rejoue ;
→ s'il n'a pas de bateau, il répond « dans l'eau » et c'est à lui de jouer ;
→ le joueur qui découvre les trois bateaux de son camarade en
premier a gagné.

→ *– La mienne est épaisse !*
– Dans l'eau !
– Les vôtres sont volumineuses !
– Coulé !

	Le cheveu fin	La chevelure épaisse	Les cheveux lisses	Les chevelures volumineuses
mien				
tien				
sien				
nôtre				
vôtre				
leur				

Mes préférences

7 **Pour trouver mes points communs avec mes camarades de classe :**

→ j'indique mes préférences dans le tableau ;
→ j'interroge 3 camarades de classe ;
→ je note les noms et les réponses de mes camarades ;
→ j'entoure nos points communs.

→ *– Quelle est ton actrice préférée ?*
– J'ai une préférence/un coup de cœur pour Charlotte Gainsbourg.

	Moi	....	....	....
Ton actrice préférée				
Ton acteur préféré				
Ta chanteuse préférée				
Ton chanteur préféré				
Ton héroïne préférée				
Ton héros préféré				

²ᴱ DÉFI : JE PARTICIPE À UN MICRO-TROTTOIR

Je comprends

Pour illustrer la page mode de mon blog :

→ je lis les documents de mon livre p. 22 ;
→ j'inscris le type de mode sous l'illustration qui convient.

blog   Mode...   Rechercher

....

....

> Retour à la page d'accueil <

Je découvre la langue

1 Pour découvrir la langue, je trouve dans les documents d'autres exemples pour :

	exprimer la condition	indiquer la manière
Doc. 1	→ *Si tu préfères les tenues décontractées, tu adoreras le style bohème.*	→ *Être simplement et confortablement à la mode.*
	....	....
	....	....
	....	....
	....	....
	....	....
	....	....
	....	....
	....	....
	....	....
	....	....
	....	....
	....	....
	....	....
	....	....
	....	....
	....	....
	....	....
	....	....
	....	....
	....	....
	....	....

2 Pour compléter le tableau :

→ je note mes découvertes (en bleu) ;
→ je note mes connaissances (en rose).

Pour...	Je peux utiliser :	Je connais aussi :
exprimer la condition – exprimer une évidence ou une généralité – exprimer un conseil ou un ordre – exprimer une probabilité ou une certitude		
indiquer la manière		

Je m'entraîne

Chut ! Je réfléchis…

1 Pour prononcer les sons [ʃ] et [ʒ] :

→ je choisis le son [ʃ] ou le son [ʒ] ;
→ quand j'entends le son choisi, je lève la main et je prononce le mot.
Si j'ai bien reconnu mon son, je marque un point, si je me trompe,
je perds un point.

La prononciation du « c »

2 Pour lire en français :

→ j'écoute les mots ;
→ je relie le mot à la prononciation de la lettre « c » qui lui correspond :
[k], [s] ou [ʃ].

1. choisir •
2. une ceinture •
3. des vêtements confortables •
4. recycler •
5. un micro-trottoir •

• [k] •
• [s] •
• [ʃ] •

• **6.** Michaël
• **7.** un tissu écologique
• **8.** participer
• **9.** des sandales en cuir

Les vêtements

3 Pour trouver le vêtement :

→ j'indique l'accessoire et la couleur que je cherche ;
→ mon camarade montre l'accessoire et la couleur que je cherche ;
→ je le remercie et on inverse les rôles.

→ *– Je cherche des chaussures rouges.*
– Voilà !
– Merci !

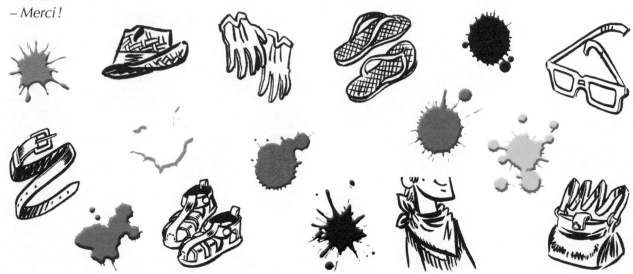

Bataille lexicale

4 **Pour jouer à la bataille lexicale :**

→ je dessine secrètement un bateau dans 3 cases de la grille ;

→ j'associe un vêtement et un motif pour trouver les bateaux de mon camarade ;

→ si mon camarade a un bateau dans la case indiquée, il répond « coulé » et je rejoue ;

→ s'il n'a pas de bateau, il répond « dans l'eau » et c'est à lui de jouer ;

→ le joueur qui découvre les trois bateaux de son camarade en premier a gagné.

→ *– Un short à fleurs !*
– Dans l'eau ! / Coulé !

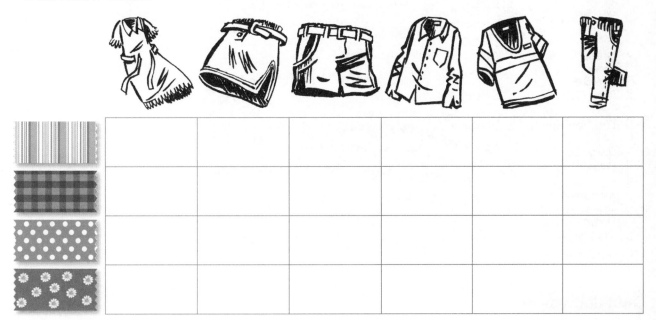

Comment être ado et altermode ?

5 **Pour compléter l'article :**

→ je transforme les adjectifs en adverbes.

Au collège, on défend .... (difficile) les valeurs bios alors que les copains suivent .... (bête) la mode *fashion*. C'est .... (actuelle) la mode à suivre. Mais tout ça sera .... (probable) bientôt .... (complet) démodé... Alors n'hésitez plus à être naturel !

L'enjeu est .... (vrai) important. Pour fabriquer un seul tee-shirt en coton non-bio, il faut environ 1 300 litres d'eau. Certes, il en faut « .... (seul) » 40 litres pour un tee-shirt en polyester, mais pour le produire il faut trois fois plus d'énergie que pour le coton. Choisissez donc .... (simple) le chanvre ou le coton bio !

Profitez-vous des soldes ?

6 Pour compléter les échanges du forum :

→ j'utilise *en*, *à*, *de*.

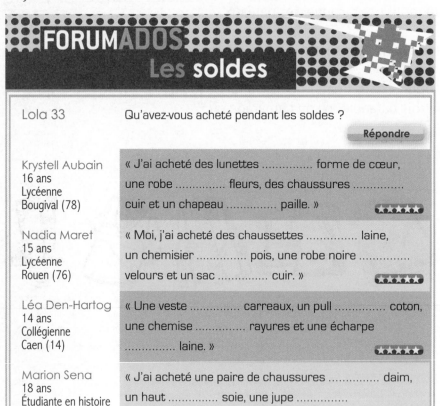

Tout doucement

7 Pour trouver mon alter ego :

→ j'écris « oui » ou « non » dans les cases ;
→ j'interroge 3 camarades de classe comme dans l'exemple ;
→ je note leurs réponses et j'entoure nos points communs.

→ *– Est-ce que tu te lèves difficilement le matin ?*
– Oui/Non.

	Moi	....	....	....
Se lever le matin avec difficulté				
S'habiller avec simplicité toute la semaine				
Parler en public avec facilité				
Planifier son travail avec précision				
Fairer ses devoirs avec sérieux				
Écouter les autres avec attention				

Les conseils

8   Pour avoir un conseil :

→ je lance le dé ;
→ j'échange avec mon camarade comme dans l'exemple ;
→ on inverse les rôles.

→ – *J'ai mal à la tête !*
– *Si tu as mal à la tête, prends un médicament !*

⚀	j'ai froid	mettre un pull
⚁	j'ai chaud	ouvrir la fenêtre
⚂	j'ai faim	se préparer un sandwich
⚃	j'ai soif	boire un verre d'eau
⚄	j'ai sommeil	aller se coucher
⚅	je suis fatigué(e)	faire une sieste

Les certitudes

9   Pour prévoir une activité pour le week-end prochain :

→ je fais des papiers numérotés de 1 à 10 ;
→ je les dispose face cachée ;
→ j'écoute la question de mon camarade de classe ;
→ je pioche un papier ;
→ je réponds en fonction du numéro pioché ;
→ on inverse les rôles.

→ – *Qu'est-ce qu'on fait ce week-end avec Jean et Annick ?*
– *S'il fait beau on fera une promenade.*

1	il fait beau	faire un pique-nique
2	il pleut	aller au cinéma
3	il fait froid	jouer aux cartes
4	il fait trop chaud	visiter un musée
5	il ne pleut pas	monter à cheval
6	il ne fait pas beau	dîner au restaurant
7	il ne fait pas trop chaud	faire une randonnée
8	il ne fait pas froid	ramasser des coquillages
9	il n'y a pas trop de vent	se balader sur la côte
10	il y a du vent	faire du bateau à voile

 Je peux aussi m'entraîner avec le cédérom.

3ᴱ DÉFI : JE DÉCOUVRE D'AUTRES MODES

La mode ici et ailleurs

1 **Pour savoir comment est la mode ailleurs :**

→ j'observe et je lis les documents de mon livre p. 24-25 ;
→ je choisis un événement similaire dans mon pays ;
→ je complète le tableau et je trouve les points communs
entre les trois événements.

	En France	**Au Togo (Lomé)**	**Dans mon pays**
Nom de l'association	....	....	....
Fondateur de l'association		....	....
Missions de l'association	....	....	....
Actions réalisées par l'association	....	....	....

2 **Pour trouver les mots cachés :**

→ je déchiffre les rébus.

+ = ...

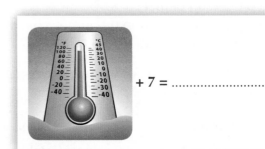

+ 7 = ...

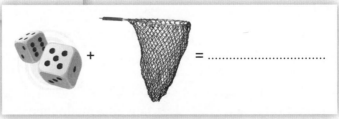

+ = ...

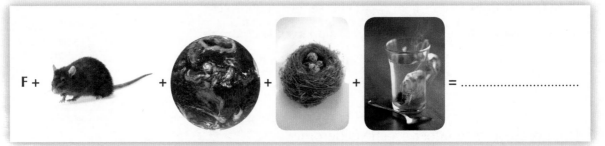

F + + + + = ...

 **EXERCICE 1** (7,5 points)

Lisez le texte puis répondez aux questions en cochant (☑) la bonne réponse.

LA MODE ÉTHIQUE, UNE MODE SOLIDAIRE

La mode éthique présentée sur ETHICAL FASHION SHOW® est une mode solidaire, une mode dédiée au développement.

C'est aussi une mode tendance qui respecte l'environnement et l'être humain. Toute la mode est aujourd'hui concernée par ce phénomène. De l'univers Streetwear à la Haute Couture, toutes les tendances bénéficient de l'influence de la mode éthique.

**ETHICAL FASHION SHOW® EXPOSE LA MODE ÉTHIQUE,
TOUS STYLES CONFONDUS.**

CRITÈRES DE SÉLECTION

▶ Une mode qui prend en compte les normes édictées par l'Organisation internationale du travail : respect des droits fondamentaux en matière de salaires, de santé, de liberté syndicale.

▶ Une mode qui recycle, récupère et travaille en étroite collaboration avec les artisans.

▶ Une mode qui réinvestit une partie de ses bénéfices dans des projets communautaires (éducation, formation, logements, santé…)

▶ Une mode qui travaille les matières naturelles, traite et colore avec des ingrédients et des méthodes respectueux de l'environnement.

▶ Une mode qui a la volonté de parvenir à un juste rapport créativité/qualité/prix.

▶ Une mode qui respecte l'environnement et l'humain.

▶ Une mode qui travaille pour aujourd'hui et pour demain dans un objectif de développement durable, soit « répondre aux besoins du présent sans compromettre la capacité des générations futures à satisfaire les leurs. »

1 La mode éthique participe à la protection de la nature.
☐ Vrai ☐ Faux ☐ On ne sait pas.

2 La mode éthique correspond au style bohème.
☐ Vrai ☐ Faux ☐ On ne sait pas.

3 La mode éthique favorise le respect des travailleurs.
☐ Vrai ☐ Faux ☐ On ne sait pas.

4 La mode éthique finance des projets humanitaires.
☐ Vrai ☐ Faux ☐ On ne sait pas.

5 La mode éthique a des objectifs pour le présent et le futur.
☐ Vrai ☐ Faux ☐ On ne sait pas.

 EXERCICE 2 (7,5 points)

Lisez le texte puis répondez aux questions en cochant (☑) la bonne réponse.

1 Quels sont les deux critères primordiaux de fabrication que les Français trouvent les plus importants pour une mode responsable ?

....

....

2 Quel est le critère de fabrication que les Français trouvent le moins important pour une mode responsable ?

....

3 Quels sont les deux futurs critères que les Français trouvent presque aussi importants l'un que l'autre d'après le sondage ?

....

....

L'OFFRE DE MODE RESPONSABLE AUJOURD'HUI

Quelle est pour vous l'importance des critères suivants dans la fabrication de vêtements ?

LES CRITÈRES PRIMORDIAUX

Ne pas avoir recours au travail des enfants	77 %
Fabriquer le produit sans polluer	43 %
Respecter les conditions de travail et la rémunération des salariés	58 %

LES CRITÈRES QUI DIVISENT LA POPULATION

Limiter la distance de transport pour limiter la pollution	33 %
Fabriquer le produit en France	26 %

LES CRITÈRES EN DEVENIR

Aider au développement de populations défavorisées	60 %
Utiliser des produits recyclés	56 %
Réserver une partie du prix à une œuvre caritative	55 %
Fabriquer le produit en Europe	46 %

Extrait d'une étude réalisée par l'Institut Français de la mode pour le DÉFI

 EXERCICE 3 (10 points)

Lisez le document et complétez la fiche de présentation.

Jean-Claude Mourlevat est né en 1952 à Ambert en Auvergne, de parents agriculteurs. Il est le cinquième enfant de six (trois frères et deux sœurs).

Il exerce le métier de professeur d'allemand en collège pendant cinq ans avant de devenir comédien de théâtre. Il est notamment l'auteur et l'interprète du clown muet nommé «Guedoulde», spectacle joué plus de six cents fois en France et à l'étranger. Il met en scène de nombreuses pièces de Brecht, Cocteau, Shakespeare.

Depuis 1997, il publie des ouvrages pour la jeunesse. Il écrit tout d'abord des contes, puis un premier roman, *La Balafre*.
Jean-Claude Mourlevat habite près de Saint-Étienne, avec sa femme et leurs deux enfants.
Après *Le Combat d'hiver* (2006) récompensé par les plus grands prix littéraires, Jean-Claude Mourlevat nous surprend à nouveau avec une histoire bouleversante de fraternité et de trahison... ■

Le chagrin du roi mort. À partir de 12 ans.
© Gallimard Jeunesse

Nom – Prénom	
Année de naissance	
Lieu de naissance	
Profession actuelle	
Situation de famille	
Lieu de résidence	
Publications	

UNITÉ 3

VOTRE MISSION

→ CRÉER LE JOURNAL
DE LA CLASSE

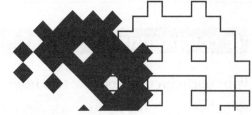

Je découvre la mission

Pour découvrir la mission :

→ j'écoute l'enregistrement ;
→ je cherche des indices ;
→ j'écris les indices trouvés dans le cadre ;
→ j'imagine dans quel univers va se passer la mission ;
→ j'observe la photo de la p. 29 de mon livre ;
→ je cherche de nouveaux indices.

mes indices

Je prépare la mission

Pour créer le journal de la classe, je vais :

+ raconter des faits
+ indiquer la cause d'un fait
+ indiquer la conséquence d'un fait
+ décrire une situation passée

Qu'est-ce que je sais faire ?	Qu'est-ce que je vais apprendre ?
....	....
....	....
....	....
....	....
....	....
....	....

Je comprends

Pour participer au concours de littérature jeunesse :

→ je lis et j'écoute les résumés des romans de mon livre p. 30 ;
→ je prends des notes ;
→ j'associe la couverture au résumé du livre qui correspond pour trouver l'intrus ;
→ je ferme le livre pour faire la suite du jeu-concours.

mes notes

Jeu-concours de littérature jeunesse

De quel roman s'agit-il ? Coche la bonne réponse.

	Sans nom ni blason	Mort sur le net	Disparus	Combat d'hiver
1. Le héros veut partir retrouver sa famille.				
2. L'histoire commence dans un internat.				
3. L'assassin envoie des messages par Internet.				
4. Le héros est un ancien voleur.				
5. Les héros sont poursuivis.				
6. L'histoire se déroule sur les routes de France.				
7. Le héros mène l'enquête avec l'aide d'un écrivain.				
8. La mort de la victime est un mystère.				
9. L'auteur du roman est Jacqueline Mirande.				

Je découvre la langue

Transcription : doc. 3 p. 30

ÉMILIE : Salut Lisa, qu'est-ce que tu lis ?
LISA : *Combat d'hiver.*
ÉMILIE : C'est bien ?
LISA : Oui, c'est super ! Si tu veux, je te le prête, je viens de le finir…
ÉMILIE : C'est vraiment bien ?
LISA : Puisque je te le dis !
PAUL : C'est un polar ?
LISA : C'est plutôt un roman d'aventure.
PAUL : Et ça parle de quoi ?

LISA : C'est l'histoire de quatre orphelins qui sont enfermés dans un internat. Ils découvrent que leurs parents ont été tués par ceux qui ont pris le pouvoir il y a quinze ans. Du coup, ils décident de s'évader pour reprendre le combat de leurs parents. Mais ils doivent d'abord échapper aux « hommes-chiens » qui ont été lancés à leur poursuite. À cause de tout ça, ils vont être séparés mais grâce à leur courage, ils finiront par se retrouver.
ÉMILIE : Ok, ok, je te l'emprunte !

1 Pour découvrir la langue, je trouve dans les documents d'autres exemples pour :

	relater des faits	exprimer la cause	exprimer la conséquence
Doc. 2	→ *Guillaume a été abandonné tout petit.*	....	→ *Il décide alors de partir à la recherche de sa famille.* ....
Doc. 3	....	→ *Puisque je te le dis !*	....

2 **Pour compléter le tableau :**

→ je note mes découvertes (en bleu) ;

→ je note mes connaissances (en rose).

Pour...	Je peux utiliser :	Je connais aussi :
relater des faits		
exprimer la cause		
exprimer la conséquence		

Je m'entraîne

Sur quoi j'insiste ?

1   Pour repérer une information mise en évidence :

→ j'écoute les extraits ;
→ je souligne le mot mis en évidence ;
→ j'entoure la syllabe qui porte l'accent d'insistance.

1. C'est étrange : la porte d'entrée est fermée à double tour, de l'intérieur.

2. C'est une véritable énigme pour les enquêteurs.

3. Quel mystère ! La victime a été retrouvée dans le bureau,
alors que toutes les issues étaient fermées de l'intérieur.

4. Tu as découvert cette histoire dans un film policier ?
Non, c'était dans un roman policier.

5. Tu as découvert cette histoire dans un roman d'aventures ?
Non, c'était dans un roman policier.

6. On ne peut pas dire qu'elle est coupable : pour l'instant c'est un suspect,
puisque l'enquête n'est pas terminée.

Utiliser sa voix pour insister

2   Pour mettre en valeur une information :

→ j'écoute les minidialogues ;
→ je répète avec un camarade de classe comme dans l'exemple ;
→ on inverse les rôles.

→ – *Le personnage principal s'appelle Maxence.*
– *Non, il s'appelle **Vin**cent.*

1. – Vincent a 17 ans au début de l'histoire.
– Non, il a **20** ans, pas 17.

2. – Il range les bagages dans les trains.
– Non, il **vole** les bagages dans les trains.

3. – Ensuite, Vincent devient serveur dans un café.
– Non, tu te trompes, c'est dans un **res**taurant qu'il devient serveur.

4. – Le dernier sac qu'il a volé appartenait à une vieille dame.
– Non, je crois que c'est à une **jeune** fille qu'il appartenait.

5. – Il décide de chercher la jeune fille à l'aide d'un auteur
de romans historiques.
– Non, c'est un auteur de romans **po**liciers.

6. – Durant son enquête, il va se retrouver sur le montage d'un film.
– Mais non, c'est sur le **tour**nage d'un film qu'il se retrouve !

Les délits

3 Pour compléter la grille :

→ je m'aide des documents du livre p. 30 ;
→ j'écris les mots qui correspondent
aux définitions.

1. Il a tué quelqu'un.

2. Il n'est pas en sécurité,

il est en ....

3. Quelque chose qu'on ne peut pas expliquer.

4. Après un assassinat, les policiers

font une ....

5. Elle a été tuée.

6. Les personnes qui font une enquête.

7. Les « hommes-chiens » sont à

la .... des quatre orphelins.

8. Un roman policier en langage familier.

9. Il vole.

10. Quatre orphelins sont ....

dans un internat.

Dans le quartier

4 Pour annoncer un fait à quelqu'un :

→ je fais des papiers numérotés de 1 à 8 ;
→ je pioche un numéro ;
→ j'échange avec un camarade comme dans l'exemple ;
→ on inverse les rôles.

→ – *Vous savez que le voisin a été agressé devant l'immeuble !*
– *Non, ce n'est pas vrai !*

1. destruction d'une valise abandonnée à la gare
2. vol de la moto du locataire du 2ᵉ
3. cambriolage du supermarché
4. arrestation du voisin
5. vol de documents importants à la mairie
6. enlèvement du chien de la boulangère
7. découverte d'un sac de bijoux dans la poubelle
8. abandon d'une voiture volée devant la pharmacie

Faits divers

5 **Pour reconstituer les informations ci-dessous :**

→ je relie les deux parties de l'information.

Un client •	• ont été détruites.
Des voleuses •	• a été enfermé toute la nuit dans une banque.
Les poubelles d'un jardin public •	• a été cambriolé.
Une valise d'argent •	• ont été abandonnés à la sortie de la ville.
Une lettre anonyme •	• ont été arrêtées à Nantes.
Un évadé •	• a été retrouvée sur une plage.
Un supermarché •	• a été envoyée au Président de la République.
Des chats •	• a été volée.
Une œuvre d'art •	• a été poursuivi par la police.

Incidents au collège

6 **Pour rédiger les incidents sans utiliser « on » :**

→ j'utilise la voix passive.

→ *On a arraché toutes les fleurs du collège.*
Les fleurs du collège ont été arrachées.

1. On a volé un ordinateur de la salle informatique.

....

2. On a cassé des carreaux.

....

3. On a brûlé des poubelles.

....

4. On a lancé une boule puante dans la cantine.

....

5. On a déchiré des documents importants.

....

6. On a écrit des messages sur les murs.

....

Les nouvelles

7 **Pour commenter les titres des journaux :**

→ je fais 4 fiches : + ∅ ; + e ; + s ; + es ;
→ j'échange avec un camarade comme dans l'exemple ;
→ je lève la fiche qui correspond à l'accord du participe passé ;
→ on inverse les rôles.

→ *– Écoute ça : cambriolage d'une banque à Angers.*
– Ah bon, une banque a été cambriolée à Angers !

1. cambriolage d'un magasin à Toulouse
2. vol de mobylettes à Strasbourg
3. enlèvement de deux chiens à Tours
4. cambriolage d'une bijouterie à Rennes
5. arrestation d'un voleur à Marseille
6. fermeture d'une bibliothèque à Caen
7. découverte d'un squelette de dinosaure à Bordeaux
8. incendie de voitures à Lyon

Les extraterrestres

 8 **Pour compléter la déclaration ci-dessous :**
→ j'entoure l'expression qui convient.

« J'étais avec Pierre Legal. Comme / Du coup il était très tard, on ne voyait
pas très bien. Tout à coup, on a entendu un bruit et on a vu une lumière
étrange dans le ciel. Alors / Comme on s'est caché. La lumière s'est posée
dans le champ et du coup / comme on a pu voir que c'était un objet volant.
Deux êtres étranges sont sortis. Comme / Alors ils parlaient fort, nous avons
pu les entendre. Ils parlaient une langue un peu comme le latin.
Grâce à / À cause de mes souvenirs d'école, j'ai pu les comprendre.
Ils venaient visiter la terre. À cause du / Grâce au bruit, le chien de Pierre
a aboyé. Alors / Comme ils ont eu peur et ils sont repartis. Demandez à Pierre
puisque / comme vous ne me croyez pas ! »

Une histoire d'amour

 9 **Pour compléter le dialogue ci-dessous :**
→ j'utilise des expressions de cause : *puisque, comme, grâce à,
à cause de*, et des expressions de conséquence : *alors, du coup*.

– .... tu as été témoin de la bagarre, pourquoi tu n'as rien dit ?

– .... directeur : c'est interdit de se battre à l'internat.

– Tu es sûr que c'est pour ça ?

– .... je vous le dis, c'est que c'est vrai !

– .... tu m'as menti une fois, pourquoi je te croirais ?

– Je ne pouvais pas vous parler devant le directeur !

– Ok, ok, j'ai compris. Maintenant tu peux parler. Je t'écoute,

qu'est-ce qui s'est passé ce soir-là ?

– Bah, Timour a rencontré Elsa .... Paul. Mais Paul était

amoureux d'Elsa, ... quand il a compris qu'Elsa préférait

Timour, il est devenu fou. Ils se sont d'abord disputés, puis ils se sont battus.

Ça devenait sérieux, ... , je les ai séparés. Après, on est

tous allés se coucher. Le lendemain, on a découvert que Paul était parti.

2ᴱ DÉFI : JE RÉSOUS UNE ÉNIGME POLICIÈRE

Je comprends

Pour résoudre l'énigme :

→ je lis et j'écoute les documents de mon livre p. 32 ;
→ je note dans le document ci-dessous les informations sur chaque suspecte ;
→ j'identifie la coupable ;
→ j'explique mon choix.

Nom des suspectes

indices

Alibi ou preuve

Mathilde Sorin

....
....
....
....

Barbara Bans

....
....
....

Élise Lopez

....
....
....
....

Anne Martin

....
....
....

Je découvre la langue

Transcription : doc. 1 p.32

LA JOURNALISTE : Détournement d'avion.

Il était 8 h 30 ce matin, quand le vol Air France Paris-Mexico a décollé de Paris. Au cours du voyage, une jeune femme qui voyageait sous une fausse identité est entrée dans la cabine de pilotage et a menacé l'équipage. Le pilote a été obligé de survoler l'île de la Martinique : la pirate de l'air a ainsi pu faire une descente en parachute et s'enfuir. La police mène l'enquête.

LA JOURNALISTE : Réalisation du portrait-robot de la pirate de l'air.

Du nouveau dans l'affaire du détournement d'avion qui a eu lieu le 14 août dernier sur le vol Paris-Mexico. Grâce aux témoignages des passagers et de l'équipage, un portrait-robot de la pirate de l'air a été réalisé. D'après les témoins, la pirate de l'air avait les cheveux blonds et les yeux verts, elle ne portait pas de lunettes et mesurait 1 m 60 environ.

LA JOURNALISTE : Interpellations et interrogatoires de quatre suspectes.

Grâce au portrait-robot, quatre suspectes ont été interpellées. Elles seront interrogées par la police dans les jours qui viennent.

1 Pour découvrir la langue, je trouve dans les documents d'autres exemples pour :

	décrire une situation	relater des faits	résumer une information
Doc. 1	→ *Il était 8 h 30.*	→ *Le vol Air France Paris-Mexico a décollé.*	→ *Détournement d'avion.*
Doc. 2			

2 **Pour compléter le tableau:**

→ je note mes découvertes (en bleu);

→ je note mes connaissances (en rose).

Pour...	Je peux utiliser:	Je connais aussi:
décrire une situation	....	....
relater des faits	....	....
résumer une information	....	....

Je m'entraîne

Souffler et vibrer : les sons [f] et [v]

1 **Pour prononcer les sons [f] et [v] :**

→ j'imite le bruit du souffle pour prononcer le son [f] ;
→ je fais vibrer ma voix pour prononcer le son [v] ;
→ je répète les paires de mots puis les phrases proposées.

1. [f] ffffffff
2. [v] vvvvvvvv
3. fou – vous
4. faire – vert
5. fibre – vivre
6. souffler – vibrer
7. Rendez-vous à neuf heures devant le vidéoclub pour surveiller le suspect. Nous le suivrons à vélo à travers la ville pour trouver des preuves de l'innocence de Vincent.
8. La femme s'est enfuie. Le frère du défunt l'a identifiée.
On l'arrête, on la fouille, on l'enferme jusqu'au procès.

Des mots avec le son [f]

2 **Pour lire et écrire le son [f] :**

→ j'écoute les sons ;
→ j'entoure la ou les lettre(s) qui se prononcent [f] ;
→ je cherche des mots de la même famille avec le son [f].

→ *identification – identifier*

	Exemples de mots de la même famille avec le son [f]
fait	
réchauffer	
photographier	
s'enfuir	
coiffeur	
orpheline	
imparfait	
informer	

Vocapolar

3 **Pour découvrir qui fait l'action :**

→ je classe les phrases suivantes dans le tableau :

Voler une mobylette – Découvrir des indices – Vérifier l'alibi du suspect –
Cambrioler une maison – Assassiner quelqu'un – Faire le portrait-robot
du suspect – Mener l'enquête – Incendier une voiture – Blesser quelqu'un –
Interroger les suspects

Le coupable	La police
....	....
....	....
....	....
....	....
....	....

Mots croisés policiers

4 **Pour compléter la grille de mots croisés :**

→ je nominalise les verbes suivants :

1. menacer
2. interpeller
3. témoigner
4. voler
5. interroger
6. découvrir
7. détourner
8. arrêter
9. réaliser
10. enlever

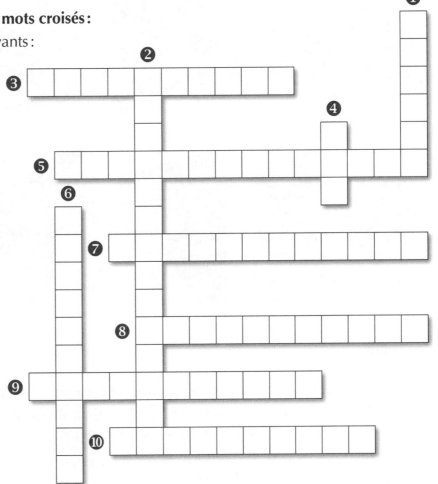

Flash info

 5 **Pour formuler des titres comme à la radio :**

→ je nominalise la phrase.

1. Une banque a été cambriolée à Versailles.
2. Le portrait-robot du suspect n° 1 a été réalisé.
3. Des faux billets ont été découverts dans une valise à la gare Montparnasse.
4. Le vol Paris-Bogota a été détourné.
5. Un suspect a été interpellé ce matin.
6. Un voleur a été poursuivi par un chien.

Témoignage

 6 **Pour faire un témoignage :**

→ j'observe la BD ① et mon camarade observe la BD ② ;
→ on ferme le livre ;
→ chacun décrit l'incident qu'il a vu ;
→ on fait la liste des différences.

Enquête

 7 **Pour formuler des phrases comme dans un commissariat de police :**

→ j'utilise *grâce à* ou *à cause de* pour réunir les deux éléments proposés ;
→ j'échange avec un camarade comme dans l'exemple.

⇒ *– Grâce aux nouveaux indices, on a interpellé des suspects, chef !*
– Je vous félicite, inspecteur Dugenou !

	Élément A	Élément B
1	→ *Les nouveaux indices*	→ *Interpeller des suspects*
2	Le travail des policiers	Découvrir de nouveaux indices
3	Un faux témoignage	Suivre une fausse piste
4	Le portrait-robot	Identifier le coupable
5	Un appel anonyme	Arrêter le coupable
6	Une erreur	Libérer le coupable
7	De nouvelles preuves	Reprendre l'enquête
8	Une caméra de surveillance	Localiser le coupable
9	Une course-poursuite	Arrêter le voleur

Le chef

8 Pour imaginer un échange entre un policier et son chef :

→ je fais 4 fiches : +∅ ; +e ; +s ; +es ;
→ je lance la balle ;
→ j'interroge mon camarade ;
→ j'écoute sa réponse ;
→ on lève la fiche qui correspond à l'accord du participe passé ;
→ on inverse les rôles.

→ – *Le voisin de la victime, il a été interrogé ?*
– *Bien sûr qu'il a été interrogé.*

1. fouiller la victime
2. relever les empreintes
3. prévenir la femme de la victime
4. interroger les témoins
5. faire le portrait-robot du suspect
6. vérifier l'alibi du suspect
7. interpeller les suspects
8. mettre en garde à vue les suspectes

Mimincident

9 Pour faire deviner un incident :

→ je rédige un incident sur le modèle suivant :
situation à l'imparfait + quand + incident au passé composé actif ou passif ;
→ – *Je me promenais le long de la Seine quand j'ai été attaqué par un chien.*
→ je mime l'incident ;
→ mes camarades de classe formulent l'incident ;
→ je valide la formulation exacte.

 Je peux aussi m'entraîner avec le cédérom.

3ᴱ DÉFI : JE DÉCOUVRE LES MÉDIAS DANS LE MONDE

Les jeunes et les médias : ici et ailleurs

1 Pour comparer l'utilisation d'Internet en Europe :

→ j'imagine quel est le pays où on fait le plus chaque activité ;
→ j'observe et je lis les documents de mon livre p. 34-35 pour vérifier mes hypothèses.

	France	Italie	Allemagne	Royaume-Uni	Espagne
Consulter des blogs					
Écouter des webradios					
Jeux vidéo en ligne					
Tenir un blog					
Utiliser la messagerie instantanée					
Utiliser la téléphonie IP					
Participer à un forum					
Faire un commentaire sur un blog					

2 Pour utiliser le vocabulaire des médias :

→ je relève dans les documents tous les mots du domaine des médias ;
→ j'associe les définitions proposées au mot qui convient.

mes notes

Site personnel, sorte de journal intime ou de journal de bord en ligne : ....

Utilisateur d'Internet : ....

Ensemble de pages sur la toile mondiale : ....

Service d'échange et de discussion entre utilisateurs sur un thème donné :
chacun peut lire les interventions de tous les autres et intervenir à tout moment : ....

Journal qu'on peut lire tous les jours : ....

Service qui permet de communiquer en direct avec quelqu'un qui utilise le même programme : ....

Synonyme de revue : ....

A. ENTRETIEN DIRIGÉ

Vous répondez aux questions de l'examinateur

Vous avez été victime d'un vol. Vous allez au commissariat de police :

◆ vous vous présentez ;
◆ vous racontez les faits ;
◆ vous répondez aux questions de l'examinateur qui jouera
le rôle de l'inspecteur de police.

B. MONOLOGUE SUIVI

Vous avez tiré au sort les deux sujets suivants. Vous en choisissez un.

1. Quel est le dernier film que vous avez vu ?
Faites le résumé de ce film et dites ce que vous en avez pensé.

2. Racontez un incident que vous avez vécu.
Que s'est-il passé ? Où et quand l'incident a-t-il eu lieu ?

mes notes

C. EXERCICE EN INTERACTION

Vous tirez au sort deux sujets et vous en choisissez un.
Vous devez simuler un dialogue avec l'examinateur afin de résoudre
une situation de la vie quotidienne. Vous montrez que vous êtes
capable de saluer et d'utiliser les règles de politesse.

1 Un ami francophone a eu un accident. Vous lui téléphonez pour lui demander de ses nouvelles : vous lui demandez comment l'accident est arrivé et ce qu'il ressent.

(L'examinateur joue le rôle de l'ami(e))

2 C'est l'anniversaire d'un ami. Vous échangez avec un autre ami pour décider quel cadeau vous allez offrir. Vous vous accordez sur un livre. Vous proposez un titre mais votre ami ne connaît pas le livre. Vous lui résumez l'histoire et vous répondez à ses questions.

(L'examinateur joue le rôle de l'ami(e))

UNITÉ 4

VOTRE MISSION

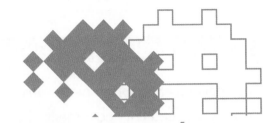

→ ORGANISER UNE JOURNÉE POUR LA DÉFENSE DES DROITS DES ADOLESCENTS

Je découvre la mission

Pour découvrir la mission :

→ j'écoute l'enregistrement ;
→ je cherche des indices ;
→ j'écris les indices trouvés dans le cadre ;
→ j'imagine dans quel univers va se passer la mission ;
→ j'observe la photo de la p. 39 de mon livre ;
→ je cherche de nouveaux indices.

mes indices

Je prépare la mission

Pour organiser la journée, je vais :

+ exprimer un droit
+ exprimer une obligation ou un devoir
+ exprimer une possibilité
+ faire une mise en garde
+ faire une recommandation

Qu'est-ce que je sais faire ?	Qu'est-ce que je vais apprendre ?
....	....
....	....
....	....
....	....
....	....

Je comprends

Pour participer au forum ci-dessous :

→ je lis et j'écoute les documents de mon livre p. 40 ;
→ je prends des notes ;
→ je rédige ma réponse.

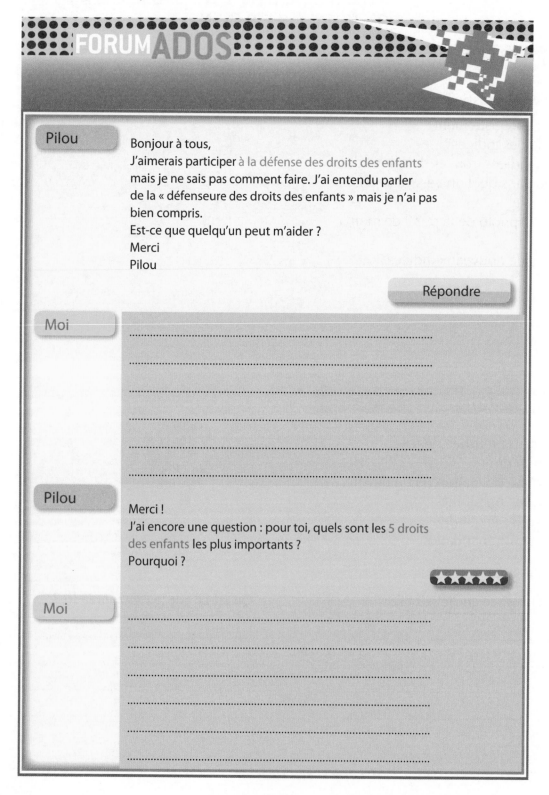

FORUM ADOS

Pilou

Bonjour à tous,
J'aimerais participer à la défense des droits des enfants
mais je ne sais pas comment faire. J'ai entendu parler
de la « défenseure des droits des enfants » mais je n'ai pas
bien compris.
Est-ce que quelqu'un peut m'aider ?
Merci
Pilou

Répondre

Moi

....
....
....
....
....

Pilou

Merci !
J'ai encore une question : pour toi, quels sont les 5 droits
des enfants les plus importants ?
Pourquoi ?

★★★★★

Moi

....
....
....
....
....
....

Je découvre la langue

Transcription : doc. 2 p. 40

L'ANIMATRICE RADIO : Bonjour à tous ! Bienvenue dans « Yaka, Taka ! ». Notre émission d'aujourd'hui est consacrée à la Défenseure des droits des enfants. Pour en parler, nous recevons une enseignante militante : Sylvie Garnier.
Bonjour Sylvie ! Alors, c'est quoi la Défenseure des droits des enfants ?
SYLVIE GARNIER : C'est une institution de l'État. Elle doit veiller au respect de la convention des droits de l'enfant. Elle a trois missions : elle doit recevoir les plaintes, faire des propositions de loi et faire connaître les droits de l'enfant.

L'ANIMATRICE RADIO : Et nos auditeurs, qu'est-ce qu'ils peuvent faire pour défendre leurs droits ?
SYLVIE GARNIER : Pour défendre vos droits, chers auditeurs, vous avez juste à vous inscrire dans le club Unicef jeunes de votre collège. Et s'il n'y en a pas, vous pouvez proposer à un professeur de contacter le comité Unicef de votre département pour en créer un.
L'ANIMATRICE RADIO : Et voilà, c'est simple : « Il faut juste créer un club » ! Et si tu veux en savoir plus, tu peux consulter le site de l'Unicef : www.unicef.fr. « Yaka, Taka » se termine, à très bientôt pour une prochaine émission !

1 **Pour découvrir la langue, je trouve dans les documents d'autres exemples pour :**

	exprimer un droit	exprimer une obligation ou un devoir	exprimer une possibilité
Doc. 1	→ *Le droit à l'égalité.*	....	
Doc. 2		→ *Elle doit veiller.*	→ *Vous pouvez proposer.* ....

2 Pour compléter le tableau:

→ je note mes découvertes (en bleu) ;
→ je note mes connaissances (en rose).

Pour...	Je peux utiliser :	Je connais aussi :
exprimer un droit		
exprimer une obligation ou un devoir		
exprimer une possibilité		

Je m'entraîne

Groupes de consonnes

1 **Pour lire de manière fluide :**

→ j'écoute les phrases ;

→ je lis sans prononcer les lettres barrées et je fais les enchaînements marqués par ‿.

Il faut connaître ses droits pour les faire respecter.
Il faut se protéger contre toute forme de violence.
On‿a le‿droit de protéger sa vie privée sur‿Internet.
On‿a le‿droit de‿vivre‿en famille.
On‿est‿obligé de‿respecter la charte quand‿on l'a signée.
On‿est‿obligé de réparer un incident quand‿on‿en‿est responsable.
Il‿est‿interdit d'insulter les‿autres.
Il‿est‿interdit de tricher aux‿examens.

Dictée phonétique : les groupes consonantiques

2 **Pour reconnaître les groupes consonantiques :**

→ j'écoute les phrases ;

→ je complète les mots avec le groupe de consonnes que j'ai entendu ;

→ je répète.

→ *Écrire un .....ospectus.*
Écrire un propectus.

| FR | VR | PR | FL | GR | DR |

1. Défen.......e le ....oit des enfants.

2. La ....otection de la vie ....ivée.

3. Le pro.......amme de la journée.

4. Commettre une in.......action.

5. Vi.......e avec les autres.

6. Ré.......échir pour éviter les con.......its.

Vocajeu

3 **Pour jouer au vocajeu :**

→ j'écris 5 mots de vocabulaire du défi sur des petits papiers ;

→ je lis la règle du jeu.

- On forme des équipes de 2 personnes au moins.
- On regroupe les papiers au centre.
- À tour de rôle, un joueur de chaque équipe a 30 secondes pour piocher des papiers et définir les mots pour les faire deviner à son ou ses coéquipier(s). Il peut passer s'il le souhaite.
- Lorsqu'un mot est découvert, l'équipe qui le découvre garde le papier.
- Ensuite, on refait un tour et ainsi de suite.
- Le jeu s'arrête quand tous les mots ont été découverts.
- On compte alors le nombre de papiers de chaque équipe.
- L'équipe qui compte le plus de papiers a gagné.

Droits et devoirs

4 Pour connaître mes droits et mes devoirs :

→ je relie les droits et les devoirs qui correspondent.

Droits

1. J'ai le droit d'aller à l'école. •

2. J'ai le droit d'être nourri et logé. •

3. J'ai le droit de vivre en famille. •

4. J'ai le droit de m'exprimer. •

5. J'ai le droit aux secours. •

6. J'ai le droit à la protection contre les mauvais traitements. •

7. J'ai le droit au bien-être. •

8. J'ai le droit au respect de ma vie privée. •

Devoirs

• **a.** Je dois informer un adulte si quelqu'un est maltraité.

• **b.** Je ne dois pas gaspiller la nourriture.

• **c.** Je dois appeler les secours si quelqu'un est en danger.

• **d.** Je dois suivre des règles de vie commune.

• **e.** Je dois protéger la nature.

• **f.** Je dois faire mes devoirs.

• **g.** Je dois respecter la vie privée des autres.

• **h.** Je dois écouter les autres.

Le droit des enfants

5 Pour donner une explication :

→ je relie les expressions qui ont le même sens ;
→ je demande confirmation à mon camarade ;
→ il confirme ;
→ on inverse les rôles.

→ – *Le droit à une justice adaptée, c'est le droit d'être jugé en fonction de son âge ?*
– Oui, c'est ça !

Le droit au bien-être •   • Le droit d'être éduqué

Le droit à la santé •   • Le droit de s'amuser

Le droit à l'école •   • Le droit de se cultiver

Le droit aux loisirs •   • Le droit d'être secouru

Le droit à la culture •   • Le droit d'être nourri et logé

Le droit aux secours •   • Le droit d'être protégé

Le droit à la protection contre l'exploitation •   • Le droit d'être soigné

Le droit à l'expression •   • Le droit de s'exprimer

Le savoir vivre en classe

6 **Pour compléter les règles de savoir vivre :**

→ j'utilise *il faut* ou *il ne faut pas.*

1. Pour rentrer en cours calmement, ... se mettre
en rang à côté de la salle de cours.

2. Pour être à l'aise pour travailler, ... garder
son manteau.

3. Pour avoir une attitude correcte, ... se balancer
sur sa chaise.

4. Pour faciliter la communication dans la classe, ...
lever le doigt avant de prendre la parole.

5. Pour respecter les autres, ... utiliser un langage
correct pour se parler.

6. Pour faciliter l'apprentissage des leçons, ...
bien tenir ses cahiers de cours.

7. Pour ne pas perturber le cours, ... éteindre
son baladeur et son portable.

8. Pour pouvoir s'exprimer correctement, ... manger
de chewing-gum en cours.

9. Pour avoir une classe propre et pour respecter le travail des agents
de service, ... mettre les papiers à la poubelle.

Vous, les adultes

7 **Pour parler des obligations des adultes :**

→ je fais des papiers numérotés de 1 à 8 ;
→ je pioche un numéro ;
→ j'échange avec un camarade comme dans l'exemple ;
→ on inverse les rôles.

→ – *Vous, les adultes, vous avez toujours du travail à faire !*
– *Tu as raison, on a toujours du travail à faire !*

1. donner des conseils
2. faire des recommandations
3. régler un problème
4. faire une course

5. envoyer un courriel
6. passer un coup de téléphone
7. raconter une expérience
8. terminer un dossier

Vous, les jeunes

8 Pour parler des devoirs des jeunes :

→ je lance le dé ;

→ j'échange avec un camarade comme dans l'exemple ;

→ on inverse les rôles.

→ – *Nous devons défendre nos droits !*

– *Tu as raison, nous avons nos droits à défendre !*

- ⚀ résoudre des problèmes
- ⚁ combattre les injustices
- ⚂ vivre des aventures
- ⚃ écrire l'histoire
- ⚄ changer le monde
- ⚅ construire l'avenir

Visite de l'internat

9 Pour compléter le texte ci-dessous :

→ j'utilise les expressions suivantes :

faut – devez – est obligatoire – devez – avez le droit – pouvez – devez – pouvez – avez – doivent – faut – avez le droit.

« Bonjour à tous et bienvenus à l'internat ! Je suis Madame Quéré, votre conseillère principale d'éducation. Tout d'abord, un petit point

sur le règlement que vous .... à respecter.

Pour vivre à l'internat, il .... respecter des règles.

Le matin, vous .... vous lever à 7 heures, vous doucher, faire votre lit et ranger vos affaires.

Vous .... prendre votre petit-déjeuner à partir de 7 h 40.

À 8 h 25 vous .... être prêts pour aller en cours.

Le soir, vous .... rejoindre vos chambres à partir de 17 h 45.

Le soir, le self est ouvert entre 18 h 45 et 19 h 30.

L'étude .... pour tous entre 19 h 30 et 20 h 30.

Il .... donc respecter le silence et éteindre les téléphones portables.

Entre 20 h 00 et 21 h 45, vous .... de regarder la télévision ou d'aller au foyer ;

À 22 h, vous .... être dans vos chambres.

Vous .... de lire avec vos lampes jusqu'à 22 h 30. »

À 22 h 30, les lumières .... être éteintes.

2ᴱ DÉFI : JE FAIS UNE CAMPAGNE DE PRÉVENTION

Je comprends

Pour être en forme pour les examens :

→ je lis et j'écoute les documents de mon livre p. 42 ;
→ je coche les aliments conseillés.

Je découvre la langue

Transcription : doc. 2 p. 42

L'ANIMATEUR RADIO : On continue avec une question de Ludo : « Comment être en forme pour les examens ? » Eh bien, cher Ludo pour être en forme pour les examens, je te recommande de bien dormir et de manger équilibré.

Pour commencer la journée, prends un bon petit déjeuner avec une boisson pour te réhydrater, du pain beurré ou des céréales pour l'énergie, un produit laitier (du lait, un yaourt ou du fromage) pour le calcium et les protéines, un fruit entier ou un jus pour les vitamines. Le petit déjeuner, c'est un repas très important pour rester en forme toute la journée, ne le saute pas !

Pour le déjeuner et le dîner, il ne faut pas que tu manges n'importe quoi, fais attention à varier ton alimentation ! Les nutritionnistes recommandent de prendre 3 vrais repas par jour. Mais attention, ne les prends pas trop rapidement !

1 **Pour découvrir la langue, je trouve dans les documents d'autres exemples pour :**

	exprimer une obligation ou un devoir	faire une mise en garde	faire une recommandation
Doc. 1	→ *Il ne faut pas que vous sautiez ce repas.*	→ *Veillez à mettre toutes les chances de votre côté.*	→ *Il est recommandé d'avoir une alimentation équilibrée.*
	....	....	....
	....	....	....
	....	....	....
	....	....	....
	....	....	....
	....	....	....
	....	....	....
	....	....	....
Doc. 2	....	....	....
	....	....	....
	....	....	....
	....	....	....
	....	....	....
	....	....	....
	....	....	....
	....	....	....

2 Pour compléter le tableau :

→ je note mes découvertes (en bleu) ;

→ je note mes connaissances (en rose).

Pour...	Je peux utiliser :	Je connais aussi :
exprimer une obligation ou un devoir		
faire une mise en garde		
faire une recommandation		

Je m'entraîne

Liaisons obligatoires, liaisons interdites : découverte

1 Pour découvrir les liaisons :

→ j'écoute les phrases ;

→ je marque les liaisons que j'entends avec ‿ ;

→ par groupes de 4 à 6, je fais des hypothèses sur les liaisons obligatoires et interdites en observant les phrases.

(1) Ils ont changé / leurs habitudes / avant les examens.

(2) Nous avons pris / un encas / à 16 heures.

(3) Célia et Annissa / sont allées / au parc / après les révisions.

(4) Les élèves / ont appris / leurs leçons / en groupe.

(5) Dans un mois / elles finiront les cours / et / elles iront / en vacances.

Utiliser la liaison obligatoire

2 Pour faire les liaisons obligatoires :

→ je regarde les phrases, je repère les consonnes finales (les lettres s, t, n) ;

→ je marque les liaisons obligatoires avec ‿ ;

→ j'écoute pour vérifier mes réponses ;

→ je répète.

→ *Nous‿avons un‿examen la semaine prochaine.*

1. Je voudrais être en forme pour les examens.
2. L'après-midi, prenez un petit encas pour rester concentré.
3. Il faut manger sans excès.
4. On a besoin de vitamines pour avoir de l'énergie.
5. Il faut prendre des aliments variés pour équilibrer les repas.
6. Vous pouvez prendre un abricot sec ou deux.
7. Quand on saute le petit-déjeuner, on est moins efficace.

Attention !

3 Pour mettre quelqu'un en garde :

→ je lance le dé ;

→ j'échange avec un camarade comme dans l'exemple ;

→ on inverse les rôles.

→ *– Attention !*
– Attention à quoi ?
– Attention aux problèmes de digestion !

- ⚀ les repas trop lourds
- ⚁ la baisse de concentration en fin de matinée
- ⚂ le coup de fatigue l'après-midi
- ⚃ l'excès de nourriture
- ⚄ le manque de sommeil
- ⚅ les aliments trop gras

Recommandations avant les examens

4 Pour bien préparer les examens :

→ je fais des papiers numérotés de 1 à 8 ;
→ je pioche un numéro ;
→ j'échange avec un camarade comme dans l'exemple ;
→ on inverse les rôles.

→ *– Pour bien préparer les examens, il est recommandé
de manger équilibré ?
– Oui, il faut manger équilibré !*

1. organiser un planning de révision
2. se documenter
3. avoir un bon rythme de sommeil
4. se préparer à planifier son temps pendant l'examen
5. se détendre avant les épreuves
6. prévoir des pauses
7. faire du sport
8. rester en contact avec ses amis

Recommandations d'un professeur

5 Pour être prêt le jour des examens :

→ je fais des papiers numérotés de 1 à 8 ;
→ je pioche un numéro ;
→ j'échange avec un camarade comme dans l'exemple ;
→ on inverse les rôles.

→ *– Pour être en forme le jour des examens, il faut que je me lève tôt ?
– Oui, je vous recommande de vous lever tôt.*

1. se coucher tôt
2. ne pas manger trop gras
3. ne pas rester trop longtemps devant l'ordinateur
4. manger un bon petit-déjeuner
5. contrôler son stress
6. pratiquer des exercices de respiration
7. ne pas paniquer
8. penser que ce n'est qu'un examen

Désolé(e)

6 Pour justifier mon refus :

→ mon camarade me propose une sortie ;
→ je lance le dé ;
→ j'exprime une obligation ;
→ on inverse les rôles.

→ – *Qui vient au fast-food avec moi ?*
– *Bah, désolé(e), pas moi, il faut que je révise : j'ai un examen*
de physique demain.

⚀ se reposer	⚀ économie
⚁ se coucher tôt	⚁ espagnol
⚂ se dépêcher	⚂ français
⚃ se concentrer	⚃ histoire
⚄ se préparer	⚄ mathématiques
⚅ se lever tôt	⚅ biologie

Bataille verbale

7 Pour jouer à la bataille verbale :

→ je dessine secrètement un bateau dans 3 cases de la grille ;
→ je conjugue les verbes au subjonctif pour trouver les bateaux
de mon camarade ;
→ si mon camarade a un bateau dans la case indiquée,
il répond « coulé » et je rejoue ;
→ s'il n'a pas de bateau, il répond « dans l'eau » et c'est à lui
de jouer ;
→ le joueur qui découvre les trois bateaux de son camarade
en premier a gagné.

→ – *Il faut qu'elle consulte Internet.*
– *Dans l'eau ! / Coulé !*

	Réviser	Manger léger	Se coucher tôt	Consulter Internet	Se concentrer
Il faut que je					
Il faut que tu					
Il faut qu'elle					
Il faut que nous					
Il faut que vous					
Il faut qu'ils					

Mise en garde

8 Pour mettre quelqu'un en garde :

→ je lance les dés ;
→ j'échange avec un camarade comme dans l'exemple ;
→ on inverse les rôles.

→ *– Attention, ne prends pas des bananes trop vertes !*
– Oui, ne t'inquiète pas !

⚀ prendre (tu)	⚀ tomates – mûres
⚁ choisir (tu)	⚁ melon – vert
⚂ acheter (tu)	⚂ avocat – dur
⚃ prendre (vous)	⚃ viande – grasse
⚄ choisir (vous)	⚄ pêches – molles
⚅ acheter (vous)	⚅ pain – cuit

Les habitudes

9 Pour connaître mes points communs avec mes camarades :

→ je réponds aux questions du tableau par « oui » ou par « non » ;
→ j'interroge 3 camarades et je note leurs réponses ;
→ j'entoure nos points communs.

→ *– Est-ce que tu sautes souvent le petit-déjeuner ?*
– Oui, je le saute souvent. / Non, je ne le saute pas.

	Moi	....	....	....
Est-ce que tu sautes souvent le petit-déjeuner ?				
Est-ce que tu prends toujours ton déjeuner à la maison ?				
Est-ce que tu oublies souvent le goûter ?				
Est-ce que tu prends parfois ton dîner devant la télé ?				
Est-ce que tu fais parfois tes devoirs en musique ?				
Est-ce que tu regardes souvent la télévision le soir ?				

⚠ Je peux aussi m'entraîner avec le cédérom.

Des célébrités d'ici et d'ailleurs

1 Pour comparer les avis :

→ je lis et j'écoute les documents de mon livre p. 44-45 ;
→ j'indique le nom de l'auteur de la phrase ;
→ j'indique si je suis d'accord ou pas d'accord avec ces idées ;
→ j'interroge trois camarades de classe et je note leurs réponses.

	Qui a dit ?	Es-tu d'accord ?	.... est-il d'accord ?	.... est-il d'accord ?	.... est-il d'accord ?
Je suis fière de ma nationalité.					
Le mépris est la cause des horreurs de ce monde.					
Connaître nos origines nous aide à nous construire.					
Il faut construire un monde meilleur.					
Tout être humain est une réussite fabuleuse.					

2 Pour jouer au Memovocab :

→ je choisis secrètement un des mots ci-dessous ;
→ je le définis pour le faire deviner à un camarade ;
→ il fait une proposition de réponse ;
→ s'il trouve la bonne réponse, il marque 1 point ;
→ on inverse les rôles et on continue le jeu.

→ – C'est le contraire de la paix.
– La guerre !
– Oui, c'est ça.

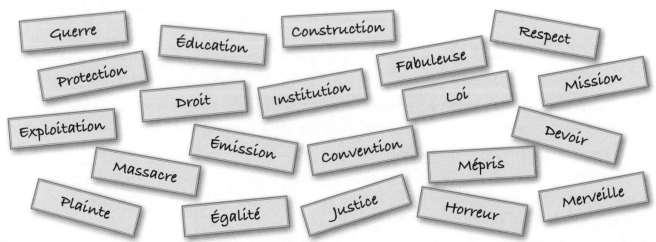

PRODUCTION ÉCRITE

25 POINTS

EXERCICE 1

(15 points)

Vous avez participé à une manifestation pour la défense des droits des enfants. Vous racontez dans votre journal personnel ce que vous avez fait. Vous parlez de vos impressions.
Écrivez un texte de 60 à 80 mots.

EXERCICE 2 (10 points)

Tiago

t'invite à fêter son anniversaire

Le samedi 7 mai
de 13 h 30 à 17 h 00
au parc de Plaisir

Merci de confirmer
ta présence
au 01 34 89 78 81
avant le 2 mai

Vous avez reçu cette invitation. Vous répondez à Tiago : vous le remerciez mais vous ne pouvez pas accepter son invitation ; vous expliquez pourquoi et vous lui proposez autre chose (60 à 80 mots).

Boîte de réception

Supprimer   Indésirable   Répondre   Rép. à tous   Réexpédier   Imprimer

De : .... Date : ....
Objet : .... À : ....

....
....
....
....
....
....
....
....
....
....

UNITÉ 5

VOTRE MISSION

→ **ORGANISER UNE RENCONTRE INTERGÉNÉRATIONNELLE**

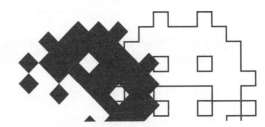

Je découvre la mission

Pour découvrir la mission :

→ j'écoute l'enregistrement ;
→ je cherche des indices ;
→ j'écris les indices trouvés dans le cadre ;
→ j'imagine dans quel univers va se passer la mission ;
→ j'observe la photo de la p. 49 de mon livre ;
→ je cherche de nouveaux indices.

mes indices

Je prépare la mission

Pour organiser une rencontre intergénérationnelle, je vais :
◆ demander une information
◆ demander de l'aide
◆ proposer de l'aide
◆ donner des conseils
◆ justifier des conseils
◆ faire des projets
◆ donner un avis
◆ nuancer mes propos

Qu'est-ce que je sais faire ?	Qu'est-ce que je vais apprendre ?
....	....
....	....
....	....
....	....
....	....
....	....

Je comprends

Pour savoir si je suis attentif aux autres :

→ je lis les questions du test de mon livre p. 50 ;
→ je coche mes réponses ;
→ je calcule mon score ;
→ je lis le profil qui correspond à mon score.

Situations \ Réponses	■	○	✕
1			
2			
3			
4			
5			
Total			

Je découvre la langue

1 Pour découvrir la langue, je trouve dans les documents d'autres exemples pour :

	demander :		proposer de l'aide	éviter la répétition du nom
	une information	**de l'aide**		
Doc. 1	→ *Es-tu attentif aux autres ?*	→ *Je peux emprunter votre téléphone pour appeler mes parents ?*	→ *Avez-vous besoin d'aide ?*	→ *Tu ne l'écoutes pas.*
	....	....	....	....
	....	....	....	....
	....	....	....	....
	....	....	....	....
	....	....	....	....
	....	....	....	....
	....	....	....	....
	....	....	....	....
	....	....	....	....
	....	....	....	....
	....	....	....	....
	....	....	....	....
	....	....	....	....
	....	....	....	....
	....	....	....	....
	....	....	....	....
	....	....	....	....
	....	....	....	....
	....	....	....	....

2 Pour compléter le tableau:

→ je note mes découvertes (en bleu);
→ je note mes connaissances (en rose).

Pour...	Je peux utiliser :	Je connais aussi :
demander : – une information		
– de l'aide		
proposer de l'aide		
éviter la répétition du nom		

Je m'entraîne

Les sons [j] et [ʒ]

 1 Pour produire les sons [j] et [ʒ] :

→ j'écoute les mots ;
→ je mime un mot à mon voisin : je le prononce sans faire sortir
de son.

[j]	les yeux	rouille	paille	les tailles	paye
[ʒ]	les jeux	rouge	page	l'étage	beige

Le son [j]

 2 Pour reconnaître les différentes manières d'écrire le son [j] :

→ j'écoute et j'observe les mots ;
→ je souligne les mots avec le son [j] ;
→ j'entoure les lettres qui servent à écrire le son [j].

coquillage   conseil   surveiller   mystère   yoga

essayer   juste   langage   laitier   ville

Les mots fléchés

3 Pour trouver le mot secret :

→ je lis les définitions et je complète les cases ;
→ j'écris les lettres dans les cases
en fonction de la couleur.

1. C'est un ensemble de marches qui
permettent de passer d'un étage à un autre.
2. C'est une partie de la ville.
3. C'est un grand bâtiment qui a plusieurs
étages.
4. C'est une personne qui habite à côté
de chez soi.
5. C'est un lieu d'habitation composé de
plusieurs pièces.
6. C'est la personne qui surveille l'immeuble.
7. C'est un passage qui relie plusieurs pièces.

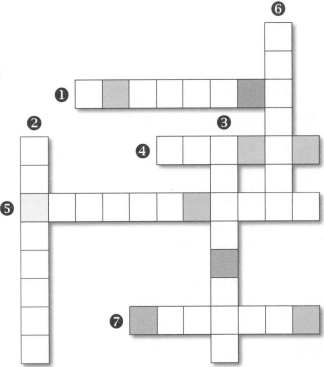

Le mot secret : un ☐☐☐☐☐☐☐☐☐ .

Test

4 Pour faire le test :

→ je lis la situation ;
→ je formule la question ;
→ je réponds à la question ;
→ je calcule mon score ;
→ je lis mon profil.

Quel voisin es-tu ?

1 Ton voisin répare son vélo dans le couloir.
tu Comment - réagis ?

....

○ • Tu lui proposes ton aide.
○ ★ Tu lui demandes de faire moins de bruit.
○ ■ Tu l'ignores.

2 Tu dois sortir les poubelles.
mets Où ? tu - les

....

○ ■ Tu les mets à côté de l'ascenseur.
○ ★ Tu les laisses devant ta porte.
○ • Tu les déposes dans le local à ordures.

3 Tu organises une fête chez toi. Tes voisins :
préviens Comment ? les - tu ?

....

○ • Tu préviens chaque voisin personnellement.
○ ■ Tu les préviens par un mot affiché dans
le hall de l'immeuble.
○ ★ Tu ne les préviens pas.

4 Tu es à la porte d'entrée de ton immeuble
et tu as oublié le code.
? fais Que - tu

....

○ ■ Tu sonnes chez tous les voisins.
○ ★ Tu essaies plein de codes.
○ • Tu appelles le gardien.

5 Des voisins organisent une fête
dans ton immeuble et t'invitent.
tu apportes leur Que ? -

....

○ • Tu leur prépares un gâteau.
○ ■ Tu leur apportes un jus de fruits.
○ ★ Tu ne les connais pas donc tu n'y vas pas.

Mon score :

Nombre de • : ....

Nombre de ■ : ....

Nombre de ★ : ....

Ton score :

Tu as une majorité de • : Tu es un super voisin et tes voisins t'adorent car tu es toujours
là pour leur rendre service ou participer à la vie de l'immeuble.

Tu as une majorité de ■ : Tu es attentif à tes voisins mais tu gardes tes distances.

Tu as une majorité de ★ : Tu es un voisin timide et un peu solitaire et tes voisins,
tu préfères les éviter.

La ronde des chiffres

 5 Pour jouer aux devinettes sur ma famille :
→ j'écris 4 chiffres ;
→ un camarade m'interroge pour découvrir
les informations cachées derrière les chiffres ;
→ je réponds par « oui » ou « non » ;
→ il m'interroge jusqu'à ce qu'il trouve ;
→ on inverse les rôles.

→ ② – *Est-ce que tu as deux sœurs ?*
– *Non.*
– *Est-ce que tu as deux frères ?*
– *Oui !*

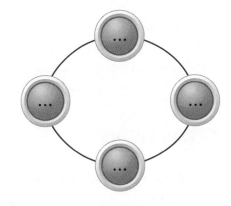

Tu peux...

 6 Pour demander de l'aide :
→ je choisis une action ;
→ je lance la balle à un camarade ;
→ je l'interroge comme dans l'exemple ;
→ il répond et on inverse les rôles.

→ *Sortir le chien*
– *Tu peux sortir le chien ce soir ?*
– *D'accord, je vais le sortir !*

❶ acheter du pain
❼ sortir les poubelles
❷ mettre la table
❽ nourrir les poissons
❻ étendre le linge
❺ arroser les plantes
❹ préparer le goûter
❸ poster le courrier

La promesse

 7 Pour expliquer mon refus :
→ j'écoute la question de mon camarade ;
→ je lance le dé ;
→ je réponds et on inverse les rôles.

⠂ *accompagner sa sœur à son cours de danse*
→ – *Alors, c'est d'accord pour demain ?*
– *Non, je ne peux pas : j'accompagne ma sœur à son cours
de danse, je lui ai promis !*

- ⚀ aider Romain à préparer son contrôle de maths
- ⚁ emmener mes petits cousins à la piscine
- ⚂ aller au musée avec Hélène
- ⚃ faire les courses avec mes parents
- ⚄ aller à la bibliothèque avec Léa et Paul
- ⚅ préparer l'exposé de français avec Djamila

Le voisin absent

8 Pour aider Caroline à comprendre le message de Paul :

→ je complète les phrases avec : *le, l', la, les, lui* ou *leur*.

Caroline, voici la liste des choses à faire pendant mes vacances :

— **Le chat** : Il faut .... donner à manger tous les jours. Ses croquettes, tu vas .... trouver dans la cuisine, dans le placard. Pense bien à .... remettre à leur place, sinon il va tout manger ! Peux-tu aussi .... caresser de temps en temps ? Il adore ça !

— **Les poissons rouges** : Il faut .... nourrir une fois tous les trois jours : tu .... donnes juste une petite cuillère de nourriture, ça suffit.

— **Les plantes** : Il faut .... arroser tous les deux jours. Il y a une grande bouteille près de la fenêtre : tu peux .... utiliser. Peux-tu aussi .... mettre dehors quand il y a du soleil ? Mais attention, la grande plante, il faut .... laisser à l'ombre !

Merci et à samedi !
Bisous

Paul

Nos grands-parents et nous

9 Pour enquêter sur les relations entre les jeunes et leurs grands-parents :

→ j'interroge mes camarades comme dans l'exemple.

→ *– Est-ce que tu vois souvent tes grands-parents ?*
– Oui, je les vois souvent.

Trouver quelqu'un qui :	prénoms	Trouver quelqu'un qui :	prénoms
téléphone souvent à sa grand-mère	....	demande conseil à sa grand-mère	....
emmène parfois ses grands-parents au cinéma	....	explique à son grand-père comment utiliser Internet	....
joue aux cartes avec ses grands-parents	....	parle à ses grands-parents de ses problèmes	....

2ᴱ DÉFI : JE PARTICIPE À UNE ÉMISSION DE RADIO

Je comprends

Pour proposer des solutions aux problèmes de relations parents/adolescents :

→ j'écoute et je lis les documents de mon livre p. 52 ;

→ je complète les forums.

FORUM ADOS

Éric 94
03/03/11

Salut à tous !
J'ai des problèmes avec mes parents, pouvez-vous m'aider ?

Répondre

– J'ai de mauvais résultats à l'école et j'ai peur d'en parler à mes parents.

....

....

....

– Mes parents ne me laissent pas sortir avec mes copains :
ils n'ont pas confiance en moi.

....

....

....

FORUM PARENTS

03/03/11

Bonjour,
Nous avons des problèmes de communication avec notre ado.
Pouvez-vous nous aider ?

Répondre

....

....

....

Je découvre la langue

Transcription : doc. 2 p. 52

Lᴀ ᴘʀᴇ́ꜱᴇɴᴛᴀᴛʀɪᴄᴇ : Radio ados, la radio qui t'écoute ! On retrouve Mathias et sa rubrique : « Parents/Ados, je communique ! »

Mᴀᴛʜɪᴀꜱ : Salut les jeunes, heureux de vous retrouver pour mon émission pleine d'astuces pour éviter les conflits avec vos parents ! Alors allez-y, j'attends vos appels !

Lᴇ́ᴀ : Salut Mathias, moi c'est Léa. Alors chez moi, c'est l'enfer, on communique presque plus avec mes parents et on se dispute tout le temps ! Qu'est-ce que je peux faire pour que la situation s'améliore ?

Mᴀᴛʜɪᴀꜱ : Léa, garde le contact avec tes parents, même si ce n'est pas toujours facile. Montre-leur que tu es accessible ! À long terme, tu verras, tu seras gagnante !

Lᴇ́ᴀ : Ok, merci Mathias ! À plus !

Jᴜʟᴇꜱ : Salut, c'est Jules, alors moi, je n'ai pas de bons résultats à l'école et je n'ose pas le dire à mes parents, parce qu'après je ne pourrai plus sortir avec mes copains...

Mᴀᴛʜɪᴀꜱ : Jules, mon conseil : afin qu'il n'y ait pas de mauvaises surprises, informe tes parents, même si tes résultats ne sont pas très bons. C'est mieux s'ils l'apprennent par toi que par l'école, tu ne crois pas ?

Jᴜʟᴇꜱ : Oui, tu as raison, je leur dirai !

Mᴀɴᴏɴ : Salut, c'est Manon. Moi, mes parents ne me laissent jamais sortir avec mes amis, alors que je fais toujours ce qu'ils me disent, j'obéis tout le temps et ils n'ont pas confiance en moi, c'est pas juste ! Mathias, aide-moi !

Mᴀᴛʜɪᴀꜱ : Ok, afin d'obtenir leur confiance, je te recommande de présenter tes amis à tes parents et de leur montrer la bonne influence que tes amis ont sur toi. Tu verras, ça ira mieux et ils seront plus souples avec tes sorties !

Mᴀɴᴏɴ : Merci Mathias, je t'adore !

---

1 Pour découvrir la langue, je trouve dans les documents d'autres exemples pour :

	exprimer un fait futur	exprimer le but	exprimer l'opposition
Doc. 1		→ *On a tout essayé pour comprendre les ados.*	....
Doc. 2	→ *Après, je ne pourrai plus sortir avec mes copains.*	....	→ *Même si ce n'est pas toujours facile.* ....

2 Pour compléter le tableau :

→ je note mes découvertes (en bleu) ;
→ je note mes connaissances (en rose).

Pour...	Je peux utiliser :	Je connais aussi :
exprimer un fait futur – faire des projets – promettre		
exprimer le but – justifier un conseil		
exprimer l'opposition – nuancer ses propos		

Je m'entraîne

Les sons [j] et [l]

1 Pour reconnaître les sons [j] et [l] :

→ je souligne les « l » et j'entoure les « ll » ;
→ j'écoute les phrases ;
→ je classe les mots dans le tableau ;
→ je lis les phrases à mon voisin.

Le mercredi, Léa va à la salle de sport.
Elle fait du volley avec la fille des voisins, Émilie.
À l'aller, elles s'arrêtent à la bibliothèque pour prendre des livres.
Le soir, elles jouent aux billes avec Sylvain.
Le samedi, Léa va en ville avec sa famille.
Le dimanche, Léa fait du roller dans le parc avec Jules.

[j]	[l]
....	....
....	....
....	....
....	....
....	....

Écrire et lire les sons [j] et [l]

2 Pour utiliser les sons [j] et [l] et leurs différentes graphies :

→ je cherche des mots que je connais avec les sons [j] et [l] ;
→ j'écris une phrase avec le plus de sons [j] possible ;
→ j'écris une phrase avec le plus de sons [l] possible ;
→ je lis à voix haute les phrases aux camarades de mon groupe.

....

....

La bataille verbale

3 Pour jouer à la bataille verbale :

→ je dessine secrètement un bateau dans 3 cases de la grille ;
→ je conjugue les verbes au futur pour trouver les bateaux
de mon camarade ;
→ si mon camarade a un bateau dans la case indiquée, il répond
« coulé » et je rejoue ;

→ s'il n'a pas de bateau, il répond « à l'eau » et c'est à lui de jouer ;
→ le joueur qui découvre les trois bateaux de son camarade
en premier a gagné.

→ *– J'irai tout seul !*
– Dans l'eau ! / Coulé !

	avoir la permission	voir demain	être là	aller tout seul	pouvoir venir
je					
tu					
il/elle/on					
nous					
vous					
ils/elles					

Tu vas où ?

4 Pour demander une explication :

→ je fais des papiers numérotés de 1 à 8 ;
→ je pioche un numéro ;
→ j'interroge un camarade comme dans l'exemple ;
→ il choisit une proposition dans la liste pour répondre ;
→ on inverse les rôles.

→ *– Tu vas où avec ton album photos ?*
– Chez Youssou, pour qu'on regarde mes photos de vacances !

préparer un gâteau

travailler

⑤

jouer au foot

① ⑥

jouer aux jeux vidéo

jouer à la belote

② ⑦

écouter le nouvel album de Lady Gaga

réparer ma roue ③

④ ⑧ copier des fichiers

Les conseils du gardien

5 Pour comprendre les conseils de mon gardien :

→ je complète avec *afin de/d'* ou *afin que/qu'*.

**VOICI QUELQUES CONSEILS
AUX NOUVEAUX HABITANTS DE L'IMMEUBLE**

.... **éviter les conflits de voisinage :**

– Pensez à dire bonjour à vos voisins quand vous les croisez

.... faciliter la communication entre vous.

– Rangez vos vélos dans le local à vélo ....

ils ne dérangent pas vos voisins.

– Ne laissez pas vos poubelles devant votre porte

.... éviter les mauvaises odeurs.

– Pensez à prévenir vos voisins quand vous faites une fête

.... ils ne soient pas surpris.

Et enfin, n'hésitez pas à leur rendre service ....

ils vous apprécient !

Merci ! Votre gardien.

Je veux faire / Je dois faire

6 Pour exprimer mon désaccord :

→ je prépare 2 séries de papiers numérotés de 1 à 8 ;
→ je pioche un papier de chaque série ;
→ j'échange avec un camarade comme dans l'exemple ;
→ on inverse les rôles.

→ *– Bon, je vais jouer aux jeux vidéo, moi !*
– Tu veux jouer aux jeux vidéo alors que tu dois sortir les poubelles ? Pas question !

1. jouer aux jeux vidéo	**1.** laver la vaisselle
2. faire la sieste	**2.** ranger sa chambre
3. regarder la télé	**3.** réviser ses leçons
4. tchatter	**4.** débarrasser la table
5. jouer au tennis avec Antoine	**5.** faire son lit
6. surfer sur le net	**6.** faire ses devoirs
7. lire une BD	**7.** ranger le garage
8. faire un tour en vélo	**8.** passer l'aspirateur

Dans mon quartier...

7 **Pour comparer mon quartier avant et maintenant :**

→ j'observe les 2 dessins ;

→ j'indique les différences.

→ – *Avant, dans mon quartier, il y avait des maisons, alors que maintenant il y a des immeubles.*

Les contradictions

8 **Pour exprimer une opposition :**

→ j'associe l'élément A à l'élément B qui convient ;

→ je fais des phrases avec *même si*.

→ *Mes parents ne me laisseront pas sortir même si je promets de rentrer tôt !*

A	B
1. mes parents ne me laisseront pas sortir	**1.** je fais une grosse bêtise
2. j'adore ma mère	**2.** mes parents trouvent que ce n'est pas suffisant
3. mes parents ne me comprennent pas	**3.** j'ai de bonnes notes
4. mes parents ne se fâcheront pas	**4.** il est parfois sévère
5. mes parents sont modernes	**5.** ils font des efforts
6. je m'entends bien avec mes parents	**6.** ils n'aiment pas mon style
7. j'aime beaucoup mon père	**7.** elle m'énerve parfois
8. je participe beaucoup à la maison	**8.** on ne se parle pas beaucoup

 Je peux aussi m'entraîner avec le cédérom.

Les relations entre les jeunes et les personnes âgées ici et ailleurs

1 Pour comparer les expériences à l'étranger :

→ je lis et j'écoute les documents de mon livre p. 54-55 ;
→ j'écris les réponses d'Albanne (*Oui, Non* ou *On ne sait pas*) ;
→ j'écris mes réponses ;
→ j'interroge mon camarade et je note ses réponses ;
→ on inverse les rôles.

Il ou elle a un membre de sa famille qui...	Albanne	Moi	Mon camarade
... travaille ou a travaillé à l'étranger.	Oui	....	....
... étudie ou a étudié à l'étranger.	....	....	....
... est né à l'étranger.	....	....	....
... est étranger.	....	....	....
... a des amis étrangers.	....	....	....
... vit avec une personne âgée.	....	....	....
... aimerait vivre à l'étranger.	....	....	....

2 Pour jouer au pendu :

→ j'écris secrètement 6 mots de l'unité sur un papier ;
→ j'écris sur une feuille un trait pour chaque lettre du mot à trouver ;
→ mon camarade propose une lettre ;
→ si la lettre est dans le mot, je l'écris ;
→ si la lettre n'est pas dans le mot, je dessine une partie de mon pendu ;
→ on inverse les rôles.

3 Pour jouer au « dessiner pour gagner » :

→ je cherche 3 mots dans l'unité ;
→ je fais un dessin pour faire deviner un des mots ;
→ j'écoute les propositions.

COMPRÉHENSION DE L'ORAL

25 POINTS

Vous allez entendre 4 enregistrements, correspondant à 4 exercices différents.

Pour chaque exercice vous aurez :
– 30 secondes pour lire les questions ;
– une première écoute, puis 30 secondes de pause pour commencer à répondre aux questions ;
– une deuxième écoute, puis 30 secondes de pause pour compléter vos réponses.
Répondez aux questions en cochant (☑) la ou les bonne(s) réponse(s), ou en écrivant l'information demandée.

EXERCICE 1

(4 points)

Ce document est : ☐ un concours.
☐ une enquête de rue.
☐ un reportage.

Indiquez le numéro du témoignage dans la case qui convient.

🙂	🙂	🙁
Témoignage n°	Témoignage n°	Témoignage n° ....

EXERCICE 2

(7,5 points)

Retrouvez les informations personnelles de chaque voisin.

Prénom :	Prénom :	Prénom : ....
Âge :	Âge :	Âge : ....
Étage :	Étage :	Étage : ....
Activité/loisirs :	Activité/loisirs :	Activité/loisirs : ....
Relation avec ses voisins :	Relation avec ses voisins :	Relation avec ses voisins : ....

🎧 **25**

EXERCICE 3

(7,5 points)

1 **Que se passe-t-il si Mélia annonce à ses parents qu'elle a de mauvais résultats à l'école ?**

☐ Elle est punie.   ☐ Rien.   ☐ On ne sait pas.

2 **Que se passe-t-il si Lucas annonce à ses parents qu'il a de mauvais résultats à l'école ?**

☐ Il est puni.   ☐ Rien.   ☐ On ne sait pas.

3 **Que fait Lucas pour pouvoir sortir avec ses amis ?**

☐ Il demande la permission à ses parents.
☐ Il ne dit rien à ses parents.
☐ Il ment à ses parents.

4 **Quand Mélia a un problème avec ses amis :**

☐ Elle écoute les conseils de ses parents qui fonctionnent toujours.
☐ Elle écoute les conseils de ses parents qui ne fonctionnent pas toujours.
☐ Elle essaie de trouver une solution toute seule.

5 **Quand Lucas a un problème avec ses amis :**

☐ Il écoute les conseils de ses parents qui fonctionnent toujours.
☐ Il écoute les conseils de ses parents qui ne fonctionnent pas toujours.
☐ Il n'écoute pas les conseils de ses parents.

🎧 **26**

EXERCICE 4

(6 points)

1 **Qu'est-ce que Justin aime ?**

☐ Il aime les jeux vidéo et l'informatique.
☐ Il aime les jeux de société et les mathématiques.
☐ Il aime sortir avec ses amis.

2 **Qu'est-ce que Justin ne peut pas faire ?**

☐ Il ne peut pas faire des études d'informatique.
☐ Il ne peut pas passer beaucoup de temps sur son ordinateur.
☐ Il ne peut pas sortir avec ses amis.

3 **La mère et le beau-père de Justin :**

☐ interdisent à Justin d'aller sur son ordinateur le week-end.
☐ ont confiance en Justin.
☐ ne comprennent pas Justin.

4 **Qu'est-ce que Justin aimerait faire ?**

☐ Il aimerait sortir plus souvent avec ses amis.
☐ Il aimerait utiliser l'ordinateur le week-end.
☐ Il aimerait utiliser l'ordinateur quand il a fini ses devoirs.

PRODUCTION ORALE

25 POINTS

A. ENTRETIEN DIRIGÉ

Vous quittez le quartier où vous avez habité pendant votre enfance. Racontez vos relations avec vos anciens voisins.

◆ Est-ce qu'il y avait des enfants de votre âge dans votre quartier ?

◆ Est-ce que vous vous entendiez bien avec eux ?

◆ Où est-ce que vous vous réunissiez ?

◆ Qu'est-ce que vous faisiez quand vous vous réunissiez ?

PRÉPARATION AU DELF

B. MONOLOGUE SUIVI

Vous tirez au sort deux sujets et vous en choisissez un.

1 Vous racontez une aventure que vous avez vécue avec un ami.
Vous dites où vous étiez, avec qui et ce qui s'est passé.

2 Vous parlez de votre relation avec vos grands-parents ; vous racontez
ce que vous faites avec eux quand vous les voyez.

mes notes

C. EXERCICE EN INTERACTION

Vous tirez au sort deux sujets et vous en choisissez un.
Vous devez simuler un dialogue avec l'examinateur afin de résoudre
une situation de la vie quotidienne. Vous montrez que vous êtes capable
de saluer et d'utiliser les règles de politesse.

1 Vous rendez visite à votre grand-père pour le week-end. Vous lui proposez
des activités que vous avez envie de faire avec lui et vous insistez pour qu'il accepte.
(L'examinateur joue le rôle du grand-père.)

2 Vous faites une enquête dans votre immeuble sur les relations entre voisins.
Vous interrogez une personne âgée sur son expérience, ce qu'elle aime et ce
qu'elle déteste.
(L'examinateur joue le rôle de la personne âgée.)

UNITÉ 6
VOTRE MISSION

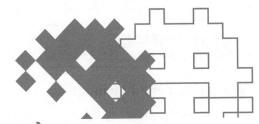

→ PARTICIPER À UN CONSEIL MUNICIPAL DES JEUNES

Je découvre la mission

Pour découvrir la mission :

→ j'écoute l'enregistrement ;
→ je cherche des indices ;
→ j'écris les indices trouvés dans le cadre ;
→ j'imagine dans quel univers va se passer la mission ;
→ j'observe l'affiche de la p. 59 de mon livre ;
→ je cherche de nouveaux indices.

mes indices

Je prépare la mission

Pour participer à un conseil municipal des jeunes, je vais :

+ exprimer un souhait
+ exprimer une opinion
+ exprimer un doute
+ mettre en évidence un fait
+ faire des propositions
+ faire un commentaire

Qu'est-ce que je sais faire ?	Qu'est-ce que je vais apprendre ?
....	....
....	....
....	....
....	....
....	....
....	....

Je comprends

Pour participer au Memoquiz :

→ je lis les documents de mon livre p. 60 ;
→ je ferme le livre ;
→ je réponds aux questions.

Memoquiz

1. Quel est le pourcentage de jeunes prêts à s'engager pour la lutte contre les discriminations ?

❑ 45 % ❑ 47 % ❑ 57 %

2. Quel est le pourcentage de jeunes prêts à s'engager pour une activité sportive ?

❑ 4 % ❑ 14 % ❑ 24 %

3. Quel est le pourcentage de jeunes prêts à s'engager pour une association culturelle ?

❑ 3 % ❑ 8 % ❑ 13 %

4. Quel est le pourcentage de jeunes qui ne souhaitent pas s'engager pour une cause ?

❑ 3 % ❑ 8 % ❑ 13 %

5. Quel est le pourcentage de Français qui pensent que les jeunes sont tolérants ?

❑ 46 % ❑ 59 % ❑ 70 %

6. Vrai ou Faux ? Je coche la bonne réponse.

	Vrai	Faux
a. Les adultes trouvent que les jeunes ne pensent qu'à eux.	....	....
b. Plus de la moitié des Français ont une image plutôt négative des jeunes.	....	....
c. Les jeunes pensent qu'il est important d'aider les personnes âgées.	....	....
d. Peu de jeunes souhaitent agir pour le bien-être des animaux.	....	....
e. La politique est une cause qui mobilise beaucoup de jeunes.	....	....

Je découvre la langue

1 **Pour découvrir la langue, je trouve dans les documents d'autres exemples pour :**

	exprimer un souhait	faire un commentaire	évaluer une quantité
Doc. 1		→ *La défense de l'environnement est un thème d'actualité.*	
Doc. 2			→ *49 % des Français ont une image négative des jeunes.*
Doc. 3	→ *Les filles voudraient participer à des actions liées à la santé.*		

2 **Pour compléter le tableau :**

→ je note mes découvertes (en bleu) ;

→ je note mes connaissances (en rose).

Pour...	Je peux utiliser :	Je connais aussi :
exprimer un souhait		
faire un commentaire		
évaluer une quantité		

Je m'entraîne

Identifier la prononciation de la lettre « x »

1   Pour lire la lettre « x » :

→ j'écoute les mots ;
→ je repère la lettre « x » ;
→ je relie les mots à leur prononciation.

la boxe •
un exercice •
un contexte •   • [ks]
un texto •   • [gz]
l'exposition •
un exemple •

Prononcer la lettre « x »

2   Pour prononcer la lettre « x » :

→ j'écoute les mots ;
→ je coche la prononciation entendue ;
→ je compare avec un camarade ;
→ je réécoute et je répète.

	[ks]	[gz]	[s]	[z]	pas prononcé
1. un choix					
2. un examen					
3. dix-huit					
4. l'exclusion					
5. cinquante-six					
6. une expérience					

Soupe de lettres

3   Pour jouer à la soupe de lettres :

→ je lis les définitions ;
→ je remets les lettres dans l'ordre.

1. S A N Q U I T O I N E R E : c'est un ensemble de questions.

C'est un ....

2. Q U E T E N E : c'est l'étude d'un sujet faite par un journaliste.

C'est une ....

3. G A N O D E S : il permet de connaître l'opinion de plusieurs personnes sur un sujet.

C'est un ....

4. Y A L A N S E : résultats commentés d'une enquête.

C'est une ....

5. G U O N P E R T A C E : on l'utilise dans les sondages pour exprimer une valeur par rapport à 100.

C'est un ....

Les souhaits

4 **Pour exprimer un souhait :**
→ je lance les dés ;
→ je conjugue le verbe au conditionnel.

→ ⚀ + ⚁ *tu adorerais*

⚀	je	⚀	aimer
⚁	tu	⚁	souhaiter
⚂	il/elle	⚂	préférer
⚃	nous	⚃	désirer
⚄	vous	⚄	adorer
⚅	ils/elles	⚅	vouloir

Moi, j'aimerais...

5 **Pour dire ce que j'aimerais faire :**
→ je fais des papiers numérotés de 1 à 8 ;
→ je pioche un numéro ;
→ j'échange avec un camarade comme dans l'exemple ;
→ on inverse les rôles.

→ *participer à un chantier de jeunesse*
– *L'année dernière, j'ai participé à un chantier de jeunesse.*
– *Ah oui, je participerais bien à un chantier de jeunesse, moi aussi !*

1. créer un club de solidarité
2. faire une colo écolo
3. organiser une collecte de jeux
4. manifester pour soutenir les sans-papiers
5. passer le brevet de secouriste
6. faire du soutien scolaire
7. aider les Restos du Cœur
8. militer pour la protection des forêts

La fête de fin d'année

6 **Pour commenter les résultats du sondage fait au collège :**

→ je lis le sondage ;

→ je complète les commentaires avec :

la plupart – une majorité – la totalité – une minorité – une grande majorité – presque la moitié.

Pour la fête de fin d'année :		3. Quelle solution préfères-tu ?	
		☐ Chacun apporte ses CD.	81 %
1. Voudrais-tu de la musique ?		☐ On demande au prof de gym de faire le DJ.	6 %
☐ Oui.	100 %	☐ Un groupe d'élèves du collège vient jouer.	3 %
☐ Non.	0 %	☐ On met la radio.	10 %
2. Quel genre de musique aimerais-tu ?		**4. Quelle date préfères-tu ?**	
☐ Du rock.	48 %	☐ Le mercredi 24 juin.	15 %
☐ Du rap.	40 %	☐ Le jeudi 25 juin.	75 %
☐ De la pop.	10 %	☐ Le vendredi 26 juin.	10 %
☐ De la chanson française.	2 %		

■ On remarque que .... des élèves de la classe aimerait
avoir de la musique pour la fête de fin d'année et que ....
d'entre eux souhaiterait écouter du rock.

■ On constate aussi qu'.. des collégiens interrogés
ne s'intéresse pas du tout à la chanson française.

■ Si .... d'élèves voudrait que des collégiens jouent
de la musique en direct, ... préférerait apporter ses CD.

■ Enfin, pour la date .... des élèves sont d'accord pour
se retrouver le jeudi 25 juin.

Les loisirs de mes copains

7 **Pour enquêter sur les activités de mes camarades :**

→ je fais des papiers numérotés de 1 à 9 ;

→ je pioche un papier ;

→ j'échange avec les camarades de mon groupe comme dans l'exemple ;

→ les élèves concernés lèvent la main ;

→ j'évalue la quantité.

→ *Jouer au foot*
– Qui joue au foot ?
D'après mon sondage, la plupart des garçons de ma classe jouent au foot.

1. jouer au hand-ball

2. aller souvent au cinéma

3. lire beaucoup de livres

4. acheter des BD

5. faire du sport régulièrement

6. écouter souvent de la musique

7. jouer d'un instrument de musique

8. aller parfois au concert

9. surfer beaucoup sur Internet

Expériences scientifiques

8 **Pour retrouver le commentaire qui convient :**

→ je complète les phrases avec : *prouvent – observer – remarque – indique ;*

→ j'associe chaque commentaire au bon graphique.

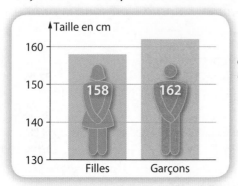

A *Taille moyenne des élèves de la classe de 4ᵉ A*

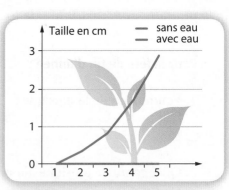

B *Croissance d'une graine avec et sans eau*

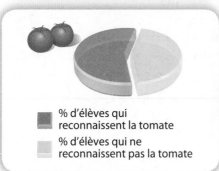

C *Identification de la tomate au goût*

D *Temps moyen pour parcourir la distance T en fonction du poids*

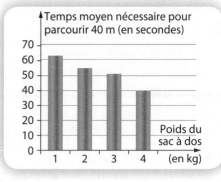

1. On peut .... que sans eau le haricot ne pousse pas.

2. On .... qu'un peu plus de la moitié des élèves reconnaissent le goût de la tomate les yeux bandés.

3. Les résultats .... que la vitesse moyenne de course des élèves diminue avec un sac à dos plus chargé.

4. Le graphique .... qu'à 13 ans, les filles mesurent en moyenne 4 cm de moins que les garçons.

Sondage

9 **Pour commenter le sondage :**

→ j'utilise : *prouver, démontrer, montrer, indiquer.*

→ *Les résultats du sondage montrent que 20 % des garçons aimeraient devenir maire.*

Aimerais-tu… ?	Filles	Garçons
Devenir maire de ta ville	30 %	20 %
Créer une entreprise de protection de l'environnement	10 %	20 %
Travailler dans l'humanitaire	15 %	20 %
Être médecin ou avocat	20 %	10 %
Voyager dans le monde entier	10 %	25 %

Je comprends

Pour corriger le blog du collège :

→ je lis et j'écoute les documents de mon livre p. 62 ;
→ je lis les commentaires et les informations du blog ;
→ je relève les erreurs et je les corrige.

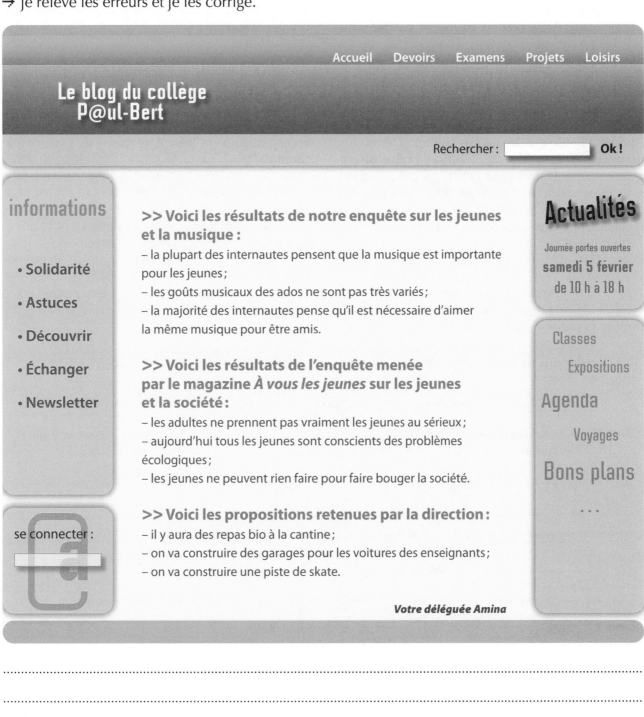

Accueil   Devoirs   Examens   Projets   Loisirs

Le blog du collège P@ul-Bert

Rechercher : [   ]   **Ok !**

informations

- Solidarité
- Astuces
- Découvrir
- Échanger
- Newsletter

se connecter :

>> Voici les résultats de notre enquête sur les jeunes et la musique :
– la plupart des internautes pensent que la musique est importante pour les jeunes ;
– les goûts musicaux des ados ne sont pas très variés ;
– la majorité des internautes pense qu'il est nécessaire d'aimer la même musique pour être amis.

>> Voici les résultats de l'enquête menée par le magazine *À vous les jeunes* sur les jeunes et la société :
– les adultes ne prennent pas vraiment les jeunes au sérieux ;
– aujourd'hui tous les jeunes sont conscients des problèmes écologiques ;
– les jeunes ne peuvent rien faire pour faire bouger la société.

>> Voici les propositions retenues par la direction :
– il y aura des repas bio à la cantine ;
– on va construire des garages pour les voitures des enseignants ;
– on va construire une piste de skate.

Votre déléguée Amina

Actualités

Journée portes ouvertes
samedi 5 février
de 10 h à 18 h

Classes
Expositions
Agenda
Voyages
Bons plans
. . .

Je découvre la langue

Transcription : doc. 2 p. 62

LE JOURNALISTE : Bonjour, je fais un sondage pour le magazine « À vous les jeunes ! ». Vous pouvez répondre à quelques questions s'il vous plaît ?

LOLA ET AMINA : Oui, d'accord !

LE JOURNALISTE : Alors, première question, pensez-vous que les jeunes peuvent faire changer des choses dans la société aujourd'hui ?

AMINA : Bien sûr ! On a plein d'idées, et quand on veut s'exprimer, on le fait !

LE JOURNALISTE : Justement, croyez-vous que les adultes vous prennent suffisamment au sérieux ?

AMINA : Je pense que les jeunes méritent d'être plus écoutés par les adultes. Souvent, ils nous disent qu'on ne peut pas comprendre parce qu'on est trop jeunes. Moi, je trouve que nous aussi on peut avoir de bonnes idées même si on n'a pas beaucoup d'expérience, et je ne pense pas que mes parents le comprennent.

LOLA : Je suis d'accord avec toi. Ce n'est pas juste !

LE JOURNALISTE : Que souhaitez-vous changer ?

AMINA : Moi, je voudrais m'engager pour l'environnement ! Je ne crois pas qu'on puisse continuer à polluer la planète comme ça ! Il faut que tous les jeunes soient conscients des questions d'environnement, parce que les adultes de demain, c'est nous !

LE JOURNALISTE : Et enfin, une dernière question. À votre avis, que peuvent faire les jeunes pour faire bouger la société ?

AMINA : S'engager ensemble ! Moi, je suis déléguée de classe : avec les autres délégués on a réussi à avoir des garages à vélos couverts, et les repas bio qu'on a demandés seront à la cantine à partir du mois prochain. On a aussi créé un blog pour partager nos idées. C'est fou les messages qu'on a reçus : de toute la France, et même de Dakar et de Montréal !

LOLA : Je crois que les jeunes peuvent faire beaucoup pour la société. Cet été, j'ai fait un chantier où certains des jeunes que j'ai rencontrés sont très impliqués dans leur ville. Ils ont entre 12 et 17 ans et ils sont élus conseillers ados. Les propositions qu'ils ont faites, comme une piste de skate ou la fête des jeux, ont été entendues. C'est génial !

LE JOURNALISTE : Bien, je vous remercie pour votre participation.

1 **Pour découvrir la langue, je trouve dans les documents d'autres exemples pour :**

	exprimer une opinion	exprimer un doute	mettre en évidence un fait
Doc. 1	→ *Je suis certaine qu'on peut s'entendre.*	....	→ *Pensez à la musique que vous avez écoutée.*
	....	....	....
	....	....	....
	....	....	....
	....	....	....
	....	....	....
Doc. 2	....	→ *Je ne crois pas qu'on puisse continuer à polluer la planète.*	....
	....		....
	....	....	....
	....	....	....
	....	....	....

2 **Pour compléter le tableau :**

→ je note mes découvertes (en bleu) ;
→ je note mes connaissances (en rose).

Pour...	Je peux utiliser :	Je connais aussi :
exprimer une opinion	....	....
	....	....
	....	....
	....	....
	....	....
	....	....
	....	....
	....	....
	....	....
exprimer un doute	....	....
	....	....
	....	....
	....	....
	....	....
	....	....
	....	....
	....	....
mettre en évidence un fait	....	....
	....	....
	....	....
	....	....
	....	....
	....	....
	....	....
	....	....

Je m'entraîne

La lettre « h » : combinaisons et prononciations

1 Pour classer les mots :

→ je repère la lettre « h » ;

→ j'écoute les mots ;

→ je classe les mots dans le tableau.

affiche   château   orchestre   choix   théâtre   chose   phrase

cohabitation   heure   photo   orthographe   phonétique

h pas prononcé	[ʃ]	[f]	[k]
....	....	....	....
....	....	....	....
....	....	....	....

Des mots qui commencent par la lettre « h »

2 Pour mettre les mots au pluriel :

→ j'écoute les mots ;

→ je lance le dé pour sélectionner un mot ;

→ je dis une première fois le mot au singulier, puis je le mets
au pluriel, en faisant la liaison quand c'est nécessaire.

→ *L'humoriste → Les‿humoristes*

- ⚀ l'habitant
- ⚁ l'habitude
- ⚂ le handicap
- ⚃ le hasard
- ⚄ l'hebdomadaire
- ⚅ l'humeur

La bataille verbale

3 Pour jouer à la bataille verbale :

→ je dessine secrètement un bateau dans 3 cases de la grille ;

→ je conjugue les verbes au subjonctif pour trouver les bateaux
de mon camarade ;

→ si mon camarade a un bateau dans la case indiquée, il répond
« coulé » et je rejoue ;

→ s'il n'a pas de bateau, il répond « dans l'eau » et c'est à lui de jouer ;

→ le joueur qui découvre les trois bateaux de son camarade
en premier a gagné.

→ *– Il n'est pas sûr que j'aie de la chance !*
– Dans l'eau / Coulé !

Il n'est pas sûr que...	avoir de la chance	voter pour lui	pouvoir venir	faire ce travail	être solidaire
je					
tu					
il/elle/on					
nous					
vous					
ils/elles					

Je ne pense pas que...

4 Pour exprimer mes opinions :
→ je lance les dés ;
→ je conjugue le verbe souligné pour faire une phrase.

→ ⚀ + ⚁ *Je ne crois pas qu'il ait envie d'être élu délégué.*

⚀ je ne crois pas que tu…
⚁ je ne pense pas qu'il…
⚂ je ne suis pas sûr(e) que vous…
⚃ je ne suis pas certain(e) qu'elles…
⚄ je ne suis pas persuadé(e) que nous…
⚅ je ne trouve pas qu'elle…

⚀ **respecter** les jeunes
⚁ **faire** des actions utiles
⚂ **aimer** faire de la politique
⚃ **pouvoir** prendre des responsabilités
⚄ **s'intéresser** à l'environnement
⚅ **être** prêt(e) à s'engager

Tu crois vraiment ?

5 Pour faire un sondage :
→ je fais des papiers numérotés de 1 à 8 ;
→ je pioche un papier et j'interroge un camarade ;
→ mon camarade lance le dé : si c'est un nombre pair il répond affirmativement ; si c'est un nombre impair il répond négativement ;
→ on inverse les rôles.

→ *être solidaire*
– *Tu crois vraiment que les jeunes sont solidaires, toi ?*
⚁, ⚃ ou ⚅ : – *Oui, je crois que les jeunes sont solidaires.*
⚀, ⚂ ou ⚄ : – *Non, je ne crois pas que les jeunes soient solidaires.*

1. pouvoir être conseillers municipaux
2. se préoccuper de la planète
3. respecter leurs devoirs de citoyen
4. avoir envie de faire des actions bénévoles
5. être tolérants
6. s'engager dans la vie de leur commune
7. lutter contre les discriminations
8. comprendre le rôle des conseillers municipaux

Je donne mon opinion

6 Pour donner mon opinion en insistant sur un fait :

→ je lis une information ;
→ mon camarade m'interroge ;
→ je choisis un des adjectifs et je dis ce que je pense.

→ *Les délégués ont fait des propositions.*
– *Que penses-tu des propositions que les délégués ont faites ?*
– *Les propositions que les délégués ont faites sont géniales !*

génial   nul   intéressant   sympathique   fantastique   sérieux

1. La maire a lu un discours.
2. Les conseillers municipaux ont présenté leurs projets.
3. Les électeurs ont élu une nouvelle présidente.
4. Le magazine a publié une enquête sur les jeunes.
5. Les délégués ont collé des affiches pour la fête de la musique.
6. Les conseillers jeunes ont organisé une fête.

Le délégué de classe

7 Pour compléter le compte rendu :

→ je lis les phrases ;
→ je conjugue les verbes au passé composé.

> **Voici le compte rendu du mois :**
> La première action que j'(proposer) ....,
> c'est le nettoyage du foyer des élèves.
> Le directeur du collège et le CPE que j'(rencontrer)
> .... sont d'accord pour faire
> des travaux.
> La professeure de dessin m'(aider) .... :
> elle a lancé une compétition pour repeindre la salle.
> La compétition qu'elle (organiser) ....
> a eu beaucoup de succès : les 10 projets que nous (recevoir)
> .... sont très beaux !
> Demain, les propositions que les élèves (faire)
> .... seront affichées.
> À vous de choisir la meilleure !
>
> Votre délégué

Opération nettoyage au parc du Ramier

8 Pour vérifier qu'on n'a rien oublié :

→ je fais 4 fiches : ∅ ; +s ; +es ; +e ;
→ je choisis une proposition ;
→ j'interroge un camarade ;
→ il répond ;
→ je lève la fiche qui convient.

→ *apporter les <u>bottes</u>*
– <u>Les bottes,</u> tu les as apportées ?
– Oui je les ai apportées :
Fiche +es *.*

1. mettre <u>les gants</u>
2. prendre <u>le grand sac vert</u>
3. ramasser <u>les bouteilles en plastique</u>
4. couper <u>les branches mortes</u>
5. jeter <u>les cartons</u>
6. apporter <u>la bouteille d'eau</u>
7. enlever <u>les objets en métal</u>
8. trier <u>les ordures</u>

Les Victoires de la musique

**9 Pour exprimer mon opinion sur les Victoires
de la musique et les chanteurs :**

→ je complète les phrases avec le verbe qui convient ;
→ j'accorde.

préférer – choisir – regarder – voir – interpréter – découvrir

1. L'émission que nous avons .... hier était pleine de surprises.

2. De tous, la chanteuse que j'ai .... était Assa mais elle n'a pas eu le prix.

3. La chanteuse que les juges ont .... pour le premier prix était Yael Naïm.

4. C'est vrai que la chanson qu'elle a .... était très émouvante.

5. J'ai vraiment envie d'aller voir en concert les autres artistes que j'ai .... dans cette émission.

6. Surtout Gaëtan Roussel, que mes copains ont déjà .... : il paraît qu'il est génial !

 Je peux aussi m'entraîner avec le cédérom.

3ᴇ DÉFI : JE DÉCOUVRE DES PROJETS SOLIDAIRES

Ici et ailleurs : les jeunes sont solidaires

1 **Pour comparer les actions de solidarité dans le monde :**

→ j'observe et je lis les documents de mon livre p. 64-65 ;

→ je complète le tableau.

Nom de l'association	Actions menées	Âge des participants	Pays où l'association est présente
....	....	....	....
....	....	....	....
....	....	....	....
....	....	....	....
....	....	....	....
....	....	....	....

2 **Pour jouer aux citoyens, acteurs de ma ville :**

→ je lis la définition ;

→ je cherche le mot caché horizontalement ou verticalement dans la grille ;

→ je l'entoure ;

→ je l'écris.

→ *C'est un système de vote : le SUFFRAGE.*

1. Groupe de personnes réunies pour prendre une décision :

....

2. C'est un acte qui permet au citoyen d'exprimer son opinion lors

d'une élection : ....

3. C'est une personne qui a des droits civiques et le droit de vote :

....

4. C'est un choix que l'on fait par

un vote : ....

5. C'est un synonyme de « ville » :

....

6. C'est un adjectif qui désigne ce qui appartient à la commune :

....

M	U	N	I	C	I	P	A	L
C	S	U	F	F	R	A	G	E
O	I	E	R	A	F	Q	S	L
N	C	O	M	M	U	N	E	E
S	M	E	V	B	A	D	M	C
E	H	U	O	J	L	I	S	T
I	C	I	T	O	Y	E	N	I
L	R	A	E	Z	I	S	E	O
M	U	L	K	R	H	O	N	N

COMPRÉHENSION DES ÉCRITS
25 POINTS

PRÉPARATION AU DELF

EXERCICE 1

(8 points)

**Lisez le texte puis répondez aux questions en cochant (☑)
la ou les bonne(s) réponse(s) ou en écrivant l'information demandée.**

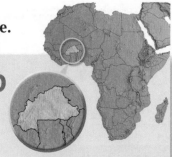

COLLECTE POUR LES ENFANTS DU BURKINA FASO

*Après l'opération de jumelage avec le collège Hampâté-Bâ
de Ouagadougou, notre collège Émile-Zola continue son action
de solidarité et organise cette année l'opération :*

« Un cahier, un crayon pour les enfants du Burkina Faso »

L'objectif de ce projet est d'aider les collégiens de Ouagadougou qui manquent de fournitures scolaires. Nous allons donc organiser une grande collecte dans notre collège. Jeudi 10 novembre, les élèves de 4ᵉ C vont passer dans toutes les classes pour vous présenter le projet et vous expliquer le déroulement de cette opération.

Cette collecte aura lieu à l'entrée de la cantine tous les jours, à l'heure de la récréation (sauf le lundi matin).

Nous vous attendons du mardi 15 novembre, à 15 h 30, au jeudi 24 novembre, à 10 h.

Vous pouvez apporter :

- des cahiers (si possible en papier recyclé) ;
- des stylos, des crayons à papier et des crayons de couleur, des ardoises et des craies ;
- des gommes et des règles ;
- des trousses, des cartables et des sacs à dos (en bon état) ;
- des calculatrices (si possible solaires).

Nous attendons vos nombreux dons pour cette collecte !

	Vrai	Faux	On ne sait pas
1 Le collège Émile-Zola organise une action de solidarité avec le Burkina Faso et recherche des produits alimentaires.	☐	☐	☐
2 Je peux apporter mes dons le vendredi 18 novembre après-midi.	☐	☐	☐
3 Les cahiers que j'apporte peuvent être en papier recyclé.	☐	☐	☐
4 Les élèves de 4ᵉ C ont commencé la collecte dans les classes le 10 novembre.	☐	☐	☐
5 Les produits collectés vont être directement envoyés au collège Hampâté-Bâ.	☐	☐	☐
6 Le collège Émile-Zola a déjà organisé des actions de solidarité avec le Burkina Faso.	☐	☐	☐

7 Je peux apporter :

 ☐   ☐    ☐    ☐

EXERCICE 2

(4 points)

Les ados, les jeunes et la musique

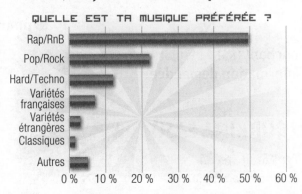

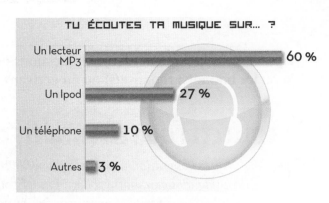

Lisez le document et répondez aux questions en cochant (☑) la bonne réponse.

1 La majorité des ados écoute du Rap/RnB.

☐ Vrai. ☐ Faux. ☐ On ne sait pas.

2 La plupart des ados écoutent la musique sur un appareil portable.

☐ Vrai. ☐ Faux. ☐ On ne sait pas.

3 Les ados écoutent tous les jours de la musique sur un lecteur MP3.

☐ Vrai. ☐ Faux. ☐ On ne sait pas.

4 Le classique intéresse la majorité des ados.

☐ Vrai. ☐ Faux. ☐ On ne sait pas.

EXERCICE 3

(6 points)

Lisez le document puis répondez aux questions en cochant (☑) la bonne réponse.

 PASSE TON BREVET DE SECOURISTE !

La mairie d'Aurillac propose un stage de 10 heures pendant les vacances scolaires pour préparer le PSC1 (Prévention et secours civiques de niveau 1). Cette formation sert à découvrir et à apprendre les gestes de premiers secours.
Elle ne nécessite pas de connaissances particulières. Tu peux faire ce stage à partir de 10 ans.

Pour toute information, contacte :
j.martin@mairie_aurillac.fr

1 La mairie d'Aurillac organise une formation de :

☐ solidarité. ☐ civisme. ☐ secourisme.

2 La formation a lieu tous les jours pendant les vacances.

☐ Vrai. ☐ Faux. ☐ On ne sait pas.

3 Pour participer, il faut être adulte.

☐ Vrai. ☐ Faux. ☐ On ne sait pas.

EXERCICE 4

(7 points)

Lisez le document puis répondez aux questions en cochant (☑) la bonne réponse ou en écrivant l'information demandée.

LES ENQUÊTES DE VICTOR ET NOÉMIE

Canal Ados – Tous les mercredis à 18 h 15

Enquête à la mairie

Dans quelques semaines, les citoyens des 37 000 communes de France vont voter pour élire leur maire et leurs conseillers municipaux. Victor et Noémie vont tout nous expliquer sur les futures élections qui vont changer la vie de la commune pour les six prochaines années.

Noémie a rencontré le maire d'une petite commune et l'a suivi toute une journée. Au programme : rencontrer les électeurs au marché, célébrer un mariage à la mairie, inaugurer un centre culturel, déjeuner avec les associations, assister à un match de foot… Elle va nous aider à mieux comprendre le travail de l'homme le plus important de la commune.

Victor, lui, va répondre aux questions que se posent les téléspectateurs :
– Qui choisit le maire et son équipe et comment ?
– Rues, écoles, parcs, centres sportifs et culturels, terrains de sports, églises, cimetière : comment le maire gère-t-il le territoire de la commune ?
– Interdire la musique la nuit, autoriser une fête : le maire peut-il tout faire ?
– Construire une nouvelle maison de retraite ou une piscine, c'est cher. Comment les communes trouvent-elles de l'argent pour réaliser leurs projets ?

1 « Les enquêtes de Victor et Noémie » est :
☐ une émission télévisée. ☐ un magazine hebdomadaire. ☐ une association.

2 Un maire :
☐ vend des produits au marché. ☐ joue au foot. ☐ peut unir les mariés.

3 Vrai ou faux ? Cochez la case correspondante (☑) et recopiez la phrase ou la partie de texte qui justifie votre réponse. (1 point par réponse)

	Vrai	Faux
a. Il va y avoir des élections locales en France.	☐	☐

Justification : ....

	Vrai	Faux
b. Noémie remplace le maire d'une grande ville française.	☐	☐

Justification : ....

	Vrai	Faux
c. Le maire travaille seul.	☐	☐

Justification : ....

	Vrai	Faux
d. La mairie possède beaucoup d'espaces et de bâtiments publics.	☐	☐

Justification : ....

PRÉPARATION AU DELF

PRODUCTION ÉCRITE   **25 POINTS**

EXERCICE 1   (13 points)

Vous voulez participer à un concours « Stop aux clichés sur les jeunes ! »
Vous expliquez un projet que vous avez envie de réaliser (de 60 à 80 mots).

....

....

....

....

....

....

....

....

....

....

EXERCICE 2   (12 points)

Votre classe a rencontré l'élu local pour lui remettre le projet
« 5 propositions pour changer la ville ».
Vous écrivez un compte-rendu sur le blog du collège (projet,
rencontre…) de 60 à 80 mots.
Vous pouvez vous aider des photos.

....

....

....

....

....

....

....

....

....

....

Note les mots nouveaux et donne leur traduction dans ta langue.
Tu peux aussi les illustrer (dessins, collages…).

....

....

....

....

....

....

....

....

....

....

....

....

....

....

....

....

....